Apprendre à déguster le vin avec un pro

© 2011 Le Courrier du Livre
ISBN : 978-2-7029-0927-0

www.editions-tredaniel.com
info@guytredaniel.fr

Jean-Charles Botte

Apprendre à déguster le vin avec un pro

SOMMAIRE

5

Chapitre 2
APPRENDRE LA DÉGUSTATION 39

Chapitre 4
LES QUESTIONS À POSER 93

Chapitre 5
LES CAVISTES 105

Chapitre 6
LISTES DES VIGNERONS TRAVAILLANT SANS AJOUT DE SOUFRE

AVANT-PROPOS...

En cherchant des informations sur la naissance du vin, ma surprise fut très grande :
6000 av. J.-C. : apparition de la vigne dans le Caucase et en Mésopotamie ;
3000 av. J.-C. : la vigne est cultivée en Égypte et en Phénicie ;
2000 av. J.-C. : apparition en Grèce ;
1000 av. J.-C. : la vigne est cultivée en Italie, en Sicile et en Afrique du Nord.

Les Romains nous implantèrent la vigne. Mais Le vin apparaît déjà lors de récits babyloniens. Alors, l'ami vin, tu es vieux comme le monde !

Selon André Tchernia (archéologue), la première vinification vient d'Iran, au nord des monts Zagros. Pendant l'antiquité, le vin était coupé d'eau et agrémenté d'aromates et d'herbes, c'est au Moyen Âge qu'il devient celui que l'on connaît. Le vin a toujours évolué.

Si les Romains implantèrent les vignes, les moines les développèrent. Beaucoup d'histoires lièrent le vin et les moines. À Gevrey-Chambertin, il existe un premier cru : La Combe aux Moines (petite vallée où se promenaient souvent les moines).

En Champagne, le vin tranquille (le plus souvent un rouge léger) régnait jusqu'au XVIIe siècle. La légende veut que de retour de Limoux, Dom Pérignon rapporta la vinification ancestrale (seconde fermentation sans ajout de levures en bouteille qui permet au vin de pétiller). Il aurait en outre inventé le bouchon de liège. Le champagne de cette époque était-il plus sucré qu'aujourd'hui ? Nul ne le dit. Toujours au conditionnel, ce serait les Anglais qui auraient sacralisé le côté brut. La vinification ancestrale en Champagne (interdite actuellement, bien sûr) est remplacée par l'ajout de levures sélectionnées en laboratoire.

Avec la révolution, les moines bourguignons rendirent les vignes aux prolétaires. Actuellement, vous pouvez avoir plusieurs propriétaires pour un gevrey-chambertin combes aux moines (par exemple). Alors que dans le Bordelais, il n'y a qu'un propriétaire pour un château.

L'évolution est le propre de l'homme... même lorsqu'il se trompe. J'ai eu la chance de déguster des vieux vins (1916, 1937, 1962), ils ressemblaient aux vins que je sacralise tant : ceux issus de l'agriculture biologique et vinifiés en levures indigènes. Le bio n'est pas une mode, mais une méthode séculaire écartée par l'hégémonie des produits chimiques à la fin des années 1960, avec pour conséquence, l'utilisation des levures sélectionnées de laboratoire et d'autres intrants.

Le vin a changé en quarante ans. Buvez un château d'un millésime récent, il n'aura pas le même style qu'à cette époque. Certes, l'œnologie moderne a permis de freiner les erreurs, mais comme le disait si bien Monsieur Philippe de Rothschild dans Les bons vins et les autres, écrit par Pierre-Marie Doutrelant en 1976 : « On ne peut rater une récolte à Château Mouton, mais celui-ci ne produira sans doute plus jamais un millésime comme en 1929. »

Selon une étude, les vignerons utilisent 600 € /hectare et par an de produits chimiques pour les vignes (Le guide des vins vivants, 2007). En sachant qu'il y a 800 000 hectares de vignes : je vous laisse calculer (Voir chimie dans Petit dico des vins naturels) Parfois, lorsque je goûte deux vins à l'aveugle, je ne vois pas de différence. Le levurage donne deux nez semblables (voir Dégustation, p. 22) sans complexité. Est-ce cela la personnalité d'un vin ? Notre terroir est notre force. Est-ce qu'une vigne désherbée apporte au vin le terroir ? À mon avis, non !

Deux grands styles dissemblables se dessinent en France : le style buccal (tous les arômes dans la bouche) et le style spirituel (le vin possède une grande rétro-olfaction minérale qui hante vos papilles). Je vous conseille de lire le lexique en fin d'ouvrage.

Depuis quelques années, grâce au regretté René Renou, un vent révolutionnaire souffle sur les appellations. Avec la réforme de l'organisation commune du marché du vin qui est entré en vigueur le 1er août 2009, l'INAO (que l'on peut appeler INOQ) a sauté le pas (voir AOC et INAO dans *Petit dico des vins naturels*). Les cahiers des charges des appellations sont revisités, et les vins sont jugés non pas au printemps mais lorsqu'ils sont finis. Du chemin, il en reste à faire. Lorsque les grandes institutions établiront l'existence de deux grands styles de vins (buccal, spirituel) : nous toucherons au but.

Ce livre a pour but de vulgariser la dégustation. Notre patrimoine est le goût et non les produits de l'agroalimentaire, ni même les médicaments. Par ailleurs, la consommation de ces derniers dépasse la consommation du vin (lire *In vino Satanas* de Denis Savero, éditions Albin Michel et *Petit dico des vins naturels* de Jean-Charles Botte, édition Le courrier du livre).

Le vin est l'héritage séculaire du monde, donc tout le monde (riche, pauvre, jeune, moins jeune) doit accéder à sa richesse gustative. Le tableau de dégustation que vous trouverez dans ce livre est un outil de travail facile et ludique accessible à tous. Je vous souhaite de bons exercices et une bonne lecture.

Chapitre 1
La dégustation

Tout le monde peut déguster : j'ai commencé
à l'âge de 24 ans en 1992. Il suffit de beaucoup
de patience et de quelques notions. Ce chapitre
est simplement un aide-mémoire, surtout pas un
évangile.

Quelques astuces rapides pour néophytes

La couleur : toujours pencher le verre et regarder la couleur du vin sur une feuille blanche.

Le nez : afin de connaître la complexité du nez, c'est-à-dire s'il change d'arômes à chaque instant, je vous conseille de sentir le vin sans l'agiter et de recommencer en le remuant. Un vin vinifié avec les levures sélectionnées de laboratoire donnera deux nez similaires. Au contraire, un vin issu de l'agriculture biologique et vinifié avec les levures indigènes proposera deux nez différents et complexes.

Sentir le nez du verre vide : afin de reconnaître la pureté du vin, sentir le verre vidé de son vin. S'il est pur, ses arômes seront de fruits. Au contraire, si le vigneron a utilisé trop de produits chimiques, le nez du verre vide aura des arômes de caoutchouc brûlé.

Barboter : lors de la dégustation d'un vin, je vous conseille d'aspirer de l'air sur votre langue. Un léger bruit issu du frottement du vin et de l'air fera rire les néophytes. Cette phase, plus facile à démontrer en pratique est très importante. En effet, elle permet d'amplifier les arômes de la rétro-olfaction.

La rétro-olfaction : c'est le retour de bouche après déglutition. Elle est plus intense lorsque le vin est issu de l'agriculture biologique et vinifié naturellement.

Ces 5 astuces sont les bases de la dégustation, elles vous permettront de surprendre vos amis.

Les principales phases

Les couleurs

La couleur n'est pas importante pour moi, on peut la colorer et nous duper. Ce qui suit n'est pas une bible, mais vous servira à mieux comprendre.

Les blancs

Jaune pâle au reflet vert : vin normalement nerveux vinifié en cuve.

Jaune intense au reflet vert : vin plus rond normalement que le précédent vinifié en cuve.

Jaune intense sans reflet vert : vin normalement rond vinifié en fût.

Or : vin blanc de quelques années.

Orangé : vin blanc sans ajout de soufre ou ayant quelques décennies.

Ambré : vieux sauternes ou liquoreux avec peu de soufre.

Les rosés

Grenadine : rosé de repas.

Rose saumon : rosé friand.

Les rouges

Groseille : primeur.

Cerise claire : rouge jeune provenant de rendements élevés ou de cépages tels que pinot ou gamay (peu de colorants).

NB : les larmes sur le verre : « l'alcool étant plus volatil que l'eau, il se forme, à la surface et sur le haut du verre mouillé par le vin, une mince couche de liquide plus aqueux » (Le goût du vin, Émile Peynaud et Jacques Blouin, Éditions Dunod).

21

Cerise intense : rouge jeune ayant moins de rendements que le précédent.

Encre : vin provenant de petits rendements et de cépages colorés (syrah, cabernet, côt).

Brique : vin de quelques années qui pourrait être sur la fin.

Rouge aux nuances orangées sur le bord : vin de quelques années.

Rouge aux nuances marron à l'intérieur et orangées sur les bords : vin d'au moins une vingtaine d'années qui se tient bien.

Les nez

Les différents nez

1er **nez** : sentir sans bouger le vin.

2e **nez** : sentir en tournant le vin.

Je remarque souvent que les « amateurs » tournent le vin sans sentir le premier nez : c'est une erreur. Humer les deux différents nez permet de connaître la complexité du vin. Avec plus d'expérience, vous pourrez découvrir si le vin est vinifié avec des levures indigènes ou sélectionnées de laboratoire.

Les qualificatifs des nez

Ouvert : le nez est expansif. Nous avons ici plusieurs possibilités. Le vin est à base de levures sélectionnées de laboratoire, car elles engendrent un côté aromatique. Le vin a déjà quelques années et il est en pleine maturité. Le cépage est aromatique (exemple : muscat, gewurztraminer).

Discret : le nez s'exprime très peu, les arômes sont discrets. Les vins vinifiés en levures indigènes s'expriment peu.

Fermé : vous n'arrivez pas sentir les arômes du nez.

Complexe : le 1er nez est différent du second.

Aromatique : le nez explose, les arômes sont libérés. Vous en avez plein les narines.

- Le vin a été vinifié avec les levures sélectionnées de laboratoire.
- Le cépage est aromatique (ex : gewurztraminer, muscat).
- Le vin est en pleine maturité.

Pur, propre : un nez sans surplus de soufre.

23

REMARQUES : Vous pouvez trouver un premier nez fermé, le second nez peut être discret. Le vin, surtout issu de l'agriculture biologique et vinifié en levures indigènes, est vivant. Les nez complexes évoluent à chaque instant. | Un nez aromatique est toujours ouvert, mais un nez ouvert n'est pas obligatoirement aromatique.

La variété des arômes

Max Léglise, dans *Initiation à la dégustation* (Éditions Jeanne Lafite), dévoile la variété des vins. J'ai souhaité y associer mes ressentis et mes expériences. C'est totalement subjectif... mais utile. (Extrait *Le Guide du vin vivant*, éditions Anagramme)

Les fruits

LES VINS ROUGES (FRUITS ROUGES)

Cassis (crème de cassis) : vin issu de raisins très mûrs. Bonne maturité phénolique (typique du côtes-du-rhône, languedoc, sud-ouest).

Cerise : pinot-noir (bourgogne).

Framboise : vin jeune.

Fruits rouges de synthèse : vin vinifié avec les levures exogènes.

Groseille : vin primeur comme le beaujolais nouveau.

Mûre : on ressent parfois cet arôme dans les vins de Bordeaux ayant une bonne maturité phénolique.

LES VINS BLANCS

Agrume de synthèse : présent dans les vins vinifiés en levures sélectionnées de laboratoire.

Ananas : sauvignon issu de l'agriculture biologique et vinifié naturellement.

Coing : confit, c'est la marque des vins moelleux comme le coteaux-du-layon.

Écorce d'orange : vin issu de raisin manquant de maturité.

Fruits exotiques de synthèse : présents dans les vins vinifiés en levures sélectionnées de laboratoire.

Mangue : présente dans les vins rouges issus de terre tendre (de vin blanc).

Orange : chablis ou mâcon.

Pamplemousse : sauvignon, chablis.

Poire : vin blanc de Bourgogne élevé en levure en fût de chêne.

Pomme : vin blanc jeune, vin blanc vinifié naturellement ou vin issu du cépage mauzac.

LES FRUITS SECS, CONFITS ET DE PÂTISSERIE

Amandes : meursault blanc, lorsque les amandes sont amères ; le vin est issu de raisin manquant de maturité.

Anis : vin blanc du sud (cépage roussanne, bourboulenc).

Cacahuète : je l'ai déjà senti dans des vins élevés en fût de chêne ayant une bonne maturité phénolique.

La réglisse ou zan : dans la finale des vins rouges, lorsque vous rencontrez cet arôme seul, le vin est vinifié avec les levures sélectionnées de laboratoire. Au contraire, mélangé avec la minéralité et les fruits dans la rétro-olfaction, le vin est vinifié grâce aux levures indigènes.

Les végétaux

HERBES ET PLANTES

Basilic : vin du sud.

Laurier : vin concentré de belle maturité.

25

Menthe : surtout en rétro-olfaction, elle donne la fraîcheur au vin.

Tabac : avec le miel, marque des grands vins rouges.

Thym : certains vins rouges mûrs.

Coriandre : certains vins blancs du sud.

Les fleurs

Genêt : muscadet.

Rose : gewurztraminer (vin blanc d'Alsace).

Violette : vin rouge.

Les odeurs torréfiées

Amande grillée : meursault blanc magnifique de quelques années.

Cacao : banyuls.

Café : vin rouge issu de raisins très confits.

Caramel : vin passé en fût de chêne.

Thé : certains blancs de Loire.

Les légumes

Poivron : cabernet-sauvignon qui manque de maturité.

Les épices

Cannelle, muscade, cardamome : on les retrouve dans les vins blancs concentrés.

Poivre : syrah et gamay, raisins très mûrs.

Les arômes alimentaires

Cidre : champagne, pétillant naturel ou vin tranquille vinifié naturellement avec les levures indigènes.

Beurre : vin blanc tel que chassagne-montrachet, puligny-montrachet, meursault mais aussi des vins blancs naturels sans ajout de soufre.

Miel ou cire d'abeille : vin blanc (le plus souvent) sec ou liquoreux. Mais aussi vins rouges vinifiés en fût sans artifice.

Les arômes animaux

Le cuir : vin rouge du Languedoc-Roussillon.

La fourrure : grand bourgogne rouge (exemples : la-tache, la-romanée-conti).

La ferme : les levures indigènes protègent les vins naturels et donnent cette odeur. Il suffit de carafer le vin. C'est la marque des vins vinifiés naturellement sans ajout de soufre. Par contre, si l'odeur persiste, ce sont les levures Bret.

Le ventre de lièvre : vin rouge mort.

Autres

Le marc de vin : marque des vins propres vinifiés en levures indigènes et issus d'une agriculture saine, présent dans les vins rouges.

Eau-de-vie de fruits blancs : présente dans les vins blancs purs et propres. Elles peuvent être de poire ou de mirabelle.

Le kirsch : présent dans les vins rouges de Bourgogne d'une année chaude.

La minéralité : goût de pierre à fusil présent aussi bien dans les rétro-olfactions de vins rouges que de vins blancs. Je l'ai seulement ressenti dans des vins

27

issus d'agriculture saine et vinifiés en levures indigènes.

Le Crésyl (désinfectant pétrochimique pour le poulailler) :

« On peut le retrouver dans les vins de cépages cabernet de certaines régions. Cependant, les vignerons n'en ajoutent ni dans les vignes, ni dans leurs vins. C'est une odeur très désagréable qui ne s'estompe pas. » Extrait du *Guide du vin vivant*

La bouche

L'attaque

C'est la première sensation sur le bout de la langue.

Souple : vin classique.

Onctueuse : vin provenant d'une bonne maturité phénolique. Elle est l'équilibre parfait entre la peau, les pépins et la chair du raisin.

Ample : sensation d'amplitude. Elle peut être mélangée à l'onctuosité, preuve d'une grande maturité phénolique, mais aussi de grand terroir.

La plupart des vins proviennent de raisins récoltés pas assez mûrs. Leur attaque est souple. Elle représente 80 % des vins en France. L'attaque onctueuse étonne le grand public, qui me rétorque souvent : « Vos vins sont trop sucrés », alors que leur degré est naturel sans chaptalisation.

Le milieu de bouche

Elle est la chair du vin, et du raisin. Elle est la plus difficile à définir, elle commence après l'attaque et se termine avant la finale de bouche.

Ample : sensation d'amplitude.

Concentré : milieu serré qui contient beaucoup de matière.

Court : reste peu de temps dans la bouche.

Dilué : manque de concentration, le milieu est court. C'est le résultat d'un rendement de raisin élevé.

Élégant : sensation de finesse.

Étoffé, puissant : sensation imposante de puissance.

Friand : milieu gourmand.

Long : sensation de longueur dans la bouche.

Maigre : manque d'amplitude.

Perlant : qui possède un peu de gaz en bouche.

Semi-étoffé : ni trop puissant, ni trop léger.

Semi-long : milieu ni trop court ni trop long.

Sirupeux (pour les liquoreux) : le milieu est onctueux comme un sirop.

Tranchant : milieu vif, net.

La finale de bouche

Deux parties déterminent la finale de bouche :

• En bouche, juste après le milieu.

• Après la déglutition, les arômes reviennent en bouche : c'est la rétro-olfaction ou retour de bouche.

Les qualificatifs de la finale

Pour les blancs, les finales peuvent être :

• courtes,
• longues,
• nerveuses,
• rondes,
• tranchantes,
• semi-longues.

REMARQUE : un vin issu de raisins (mûrs, sans chaptalisation) de l'agriculture biologique, et vinifié en levures indigènes, possède généralement du sucre résiduel. La finale est ronde.

Pour les rouges, vous trouverez les tanins, ils peuvent être :

• souples (gamay),
• durs et présents, ils peuvent déséquilibrer le vin ou non (languedoc-roussillon, sud-ouest, bordeaux jeune),
• durs mais fins (pinot-noir ou des vins plus anciens) et ne déséquilibrant pas le vin,
• rustique,
• gras (syrah).

La finale des vins rouges pour les vins peut être :

• longue,
• courte,
• semi-longue,
• déséquilibrée.

30

La rétro-olfaction

Elle est décuplée lorsque le vin est issu de l'agriculture biologique et vinifié en levures indigènes. Je n'ai jamais trouvé de grande rétro-olfaction avec les vins vinifiés en levures sélectionnées de laboratoire.

Elle détermine les deux styles de vins : spirituel et buccal (lire *Petit dico des vins naturels*)

Les arômes possibles que vous trouvez dans les rétro-olfactions des vins blancs :
• menthol,
• épices
• minéralité.
Selon les vins et le millésime, vous pouvez aussi trouver :
• des fruits confits,
• du grillé
• des notes de brioches,
• etc.
Les arômes possibles que vous trouvez dans les rétro-olfactions des vins rouges :
• menthol,
• zan,
• minéralité.
Selon les vins et le millésime, vous pouvez aussi trouver :
• des fruits rouges,
• du cuir,
• du sous-bois
• du poivron.

31

La rétro-olfaction minérale est à mon avis la marque de terroir dans un vin. Je ne l'ai trouvée que dans des vins issus de l'agriculture biologique, certifiés ou non, et vinifiés avec les levures indigènes.

Les qualificatifs de la rétro-olfaction
- courte,
- complexe,
- longue,
- semi-longue,
- standard.

REMARQUES : Certains vignerons bio vinifient en levures sélectionnées de laboratoire.
Il n'y a que l'agriculture biologique ou biodynamique qui interdit les désherbants chimiques.

NB : Le plus important, lors de la dégustation, est de ne pas confondre les différentes phases.

La conclusion

Lors d'une dégustation, les différentes phases doivent être décrites. Mais la dernière phase conclut ce que vous ressentez. Exemple : « Ce vin gourmand au caractère masculin (arômes de poivrons et tanins présents) est d'un grand rapport qualité prix et le meilleur millésime d'André Bourguet. » Extrait du *Vin de campagne 2007* www.vinpur.com – annuaire.

Les qualificatifs de la conclusion

Buccal : vin dont tous les arômes sont dans la bouche et sans retour de bouche.

Déséquilibré : une des phases de la dégustation n'est pas en harmonie. Généralement c'est la finale.

Féminin : belle élégance, tout en douceur.

Friand : facile à boire, comme une friandise.

Glouglou : facile à boire.

Gourmand : plein de fruits.

Intorchable : vin vivant qui est imbuvable actuellement.

Maigre : manque d'amplitude.

Masculin : puissant, viril, concentré.

Pas en phase : vin vivant qui n'est pas en équilibre ni en harmonie.

Puissant étoffé : sensation de puissance.

Pur : vin qui possède une bouche et un nez sans arôme de produits chimiques.

Racé : ayant de la race. Souvent sans ajout de soufre, ce vin vivant peut surprendre plus d'un amateur

Spirituel : vin qui possède une longue rétro-olfaction minérale qui hante les papilles.

Standard : vin qui reste dans les normes sans faire d'étincelles dans sa personnalité.

Récapitulation

(extrait du *Petit dico des vins naturels*)

Mes qualificatifs des différents vins

• **Le vin rouge à tanins souples** : vin rouge dont les tanins donnent de la souplesse en finale.
Exemple : beaujolais.

• **Le vin rouge à tanins durs** : vin rouge dont les tanins donnent de l'âpreté en fin de bouche. Une bonne maturité phénolique affinera les tanins, et équilibrera le vin.
Exemple : cabernet-sauvignon, côt.

• **Le vin rouge à tanins fins** : vin rouge dont les tanins sont durs mais fins.
Exemple : pinot-noir ou des vins rouges ayant quelques années.

• **Le vin blanc sec** : vin blanc dont le sucre et l'acidité sont égaux.

Dans le vin blanc, on distingue plusieurs parties :
• **Le vin nerveux** : laisse en fin de bouche une acidité comme celle du citron.
Exemple : le gros-plant du pays nantais.

• **Le vin blanc semi-étoffé :** un vin ni trop léger ni trop puissant avec une finale droite.
Exemple : crozes-hermitage de Laurent Combier, menetou-salon, bordeaux entre-deux-mers.

• **Le vin blanc rond et ample :** ce vin n'est pas nerveux, mais il est sec. Sa finale est ronde et son milieu est imposant.
Exemple : les blancs de Bourgogne tels que meursault, corton-charlemagne, certains mâcons et pouilly-fuissé.

• **Le vin blanc fleuri :** un vin sec mais avec un nez aromatique et une finale ronde. Il peut parfois posséder un peu de sucre résiduel.
Exemple : gewurztraminer, muscat, pinot-gris.

• **Le sec tendre :** vin demi-sec avec en finale du sucre résiduel.
Exemple : certains vouvrays et montlouis, et quelques alsaces.

• **Vin blanc liquoreux :** vin blanc sucré possédant un milieu sirupeux et une finale ronde pleine de fruits.

• **Vin blanc moelleux :** vin blanc moins sucré que le liquoreux mais avec une belle acidité. Souvent, celle-ci est associée à la minéralité.

Récapitulation des arômes de terroir et d'une vinification naturelle présente dans le vin

Lorsque j'étais jeune sommelier, les vignerons me parlaient du terroir dans le vin sans me le décrire. La rencontre avec Claude Courtois à la fin des années quatre-vingt-dix fut primordiale. Et depuis, voici mes avis :

• **Minéralité :** vous avez l'impression de sucer une pierre. Vous la trouverez souvent en rétro-olfaction avec le menthol et le zan pour les vins rouges, et avec le menthol et les épices pour les blancs. Ne pas la confondre au nez avec le soufre.

• **Écurie sauvage ferme :** « Les levures indigènes dégagent du soufre. Certains vignerons, comme Julien Guillot (Les vignes du Mayne), Claude Courtois (Les Cailloux du Paradis), Michel Augé (Les Maisons brûlées), prétendent que c'est une auto protection du vin. Il suffit pour éliminer cette odeur, de carafer le vin. Si elle persiste, ce sont les levures Bret et c'est un défaut. » (Extrait du *Guide des vins vivants*)

• **Marc de vin :** la marque d'une vinification pure et propre.

• **Le côté salé ou salin** : mélange avec le sucre et l'acidité. On le retrouve dans des grands vins blancs naturels.

Chapitre 2
Apprendre
la dégustation

Déguster est une affaire de mémoire,
de reconnaissance et de méthode.
Ma méthode est l'utilisation d'un tableau de
dégustation appelé mémo de dégustation
(voir chapitre suivant). Mais pour le néophyte,
il est important de s'entraîner sur différents
breuvages pour reconnaître les saveurs,
les arômes et s'en accommoder.

Les saveurs

L'amertume : est le rebut de la société actuelle dominée par l'agroalimentaire. L'amertume est la clé de voûte du goût. Présente dans l'endive, la noix, le cacao, les tanins, la minéralité du vin, elle ravive les papilles. Ne pas confondre avec le métallique et l'astringence. Le grand public habitué au style buccal est dérouté par la minéralité. Il la trouve trop amère.

L'astringence : est le côté obscur de la mauvaise amertume. Un vin rouge est astringent lorsqu'il y a déséquilibre de la maturité ou un mauvais pressurage (voir lexique).
Le côté métallique : le soufre est dans la finale du vin. Il donne un côté dur.

La minéralité : goût de pierre à fusil que l'on ne retrouve à mon avis que dans les vins issus de l'agriculture biologique certifiés ou non et vinifiés en levures indigènes (style spirituel). Le grand public ou les professionnels aimant le style buccal peuvent être surpris par cette saveur trop amère pour eux. Le vin dégusté sera généralement mal compris et renié par manque d'habitude et de repères.

Le sucré : la sensation de sucré est présente dans l'attaque (si le vin possède une bonne maturité phénolique) et parfois dans la finale (sucre résiduel).

L'attaque onctueuse (détectée sur le bout de la langue) équilibre la finale tannique des vins rouges.

Le salé : c'est la marque des vins de terroir vinifiés naturellement.

L'acidité : présente en fin de bouche, cette sensation vive, tranchante comme un citron est avec la minéralité, la colonne vertébrale du vin. Un raisin pas mûr donne des vins trop vifs.

Les mauvais équilibres du vin

Sans acidité : le vin est flasque. J'ai remarqué que dans une année très chaude, un vin blanc d'une vigne désherbée peut donner des vins mous.

Trop acide : généralement présent dans les vins blancs issus de raisins verts pas mûrs.

Trop de soufre : généralement présent dans les vins blancs et les rosés. Il est présent au nez (caoutchouc brûlé) ou en finale (métallique).

Trop de tanins : ceci est dû à un mauvais pressurage ou à une mauvaise maturité phénolique.
Un vin bien équilibré est riche dans ses saveurs. L'amertume, le sucré et l'acidité doivent tous être présents sans dominer.

La reconnaissance des saveurs

C'est le plus ingrat des exercices : il faut que votre mémoire reconnaisse les saveurs.

Mode d'emploi

Dans un litre d'eau froide (Volvic ou eau du robinet purifiée à l'aide de vitajuwel (voir lexique) :

Breuvage 1 : ajoutez une cuillère à soupe de tanins pharmaceutiques. Goûtez, ce sera âpre au bout de la langue (les tanins sont râpeux comme sur un vin rouge jeune à base de tanins durs).

Breuvage 2 : ajoutez deux cuillères à soupe de confiture d'orange amère. Les sensations seront sur le bout de la langue : onctueuses grâce à la confiture. Ajoutez-y un verre de jus de pamplemousse frais. À la dégustation, votre attaque sera onctueuse, avec une finale légèrement amère (intérieur de la langue), le tout bien équilibré. L'acidité est fondue grâce à la confiture. C'est la représentation idéale d'un vin qui comporte une bonne maturité phénolique. Ajoutez-y un quart de cuillère à café de tanins pharmaceutiques : vous sentirez l'attaque onctueuse, l'acidité et les tanins sur le bout de la langue, le tout sera bien équilibré.

>>> **Cet exercice permettra d'adapter votre palais aux bonnes saveurs que sont l'amertume et l'acidité.**

NB : le côté salin est rare dans le vin, mais présent dans les grands vins blancs naturels, il est souvent mélangé avec la minéralité.
Pour l'acidité, boire un jus pressé de citron ou de pamplemousse. Les sensations seront sur les côtés de la langue.

La reconnaissance des arômes

En juin 2006, lors d'une émission d'Envoyé Spécial, une femme éduque les enfants au goût et leur propose un jus de fruits à l'aveugle. Unanimes, les enfants scandent « jus de fraise ». Pour le second, ils sèchent. Et pourtant... le premier était un jus aux arômes de synthèse de fraise, le second un jus de fraises fraîches. L'agroalimentaire a déstabilisé notre éducation du goût. Souvent, j'ai la même réflexion de la part des dégustateurs : comment évoluer dans la reconnaissance d'arômes ?
Cuisiner des produits frais est le meilleur des principes. Et surtout, sentez à chaque fois les aliments avant de les préparer.
Sinon, élaborez entre amis les jeux suivants.

Pour les néophytes

Préparez six breuvages à base de confiture et d'autres ingrédients, servez-les à l'aveugle et proposez un tableau de reconnaissance d'arômes. Demandez à vos hôtes de cocher l'arôme qu'ils sentent.

43

	1	2	3	4	5	6
menthe						
miel						
thym						
coing						
cerise						
mirabelle						
poivre						
zan						
curry						
orange amère						

tableau à photocopier

tableau à photocopier

	1	2	3	4	5	6
menthe						
miel						
thym						
coing						
cerise						
mirabelle						
poivre						
zan						
curry						
orange amère						

Faites fondre dans une casserole remplie de 1 litre d'eau (Volvic ou de l'eau du robinet purifiée grâce à vitajuwel) les éléments suivants.

• **1er breuvage** : une pincée de curry et une cuillère à soupe de confiture d'orange.

• **2e breuvage** : une cuillère à soupe de confiture de mûre et deux bonbons de zan naturel.

• **3e breuvage** : une pincée de poivre et une cuillère à soupe de confiture de cerise.

• **4e breuvage** : une cuillère à soupe de confiture de cerise et une grosse larme de mirabelle.

• **5e breuvage** : une cuillère à soupe de coing et une infusion de thym.

• **6e breuvage** : une cuillère à soupe de miel et une infusion de menthe fraîche.

Pulvérisez, versez dans une bouteille et réservez.

Pour les amateurs

Faites fondre dans une casserole remplie de 1 litre d'eau (Volvic ou de l'eau du robinet purifiée grâce à vitajuwel) les éléments suivants (les habitués pourront ajouter plusieurs ingrédients aux breuvages).

• **1er breuvage** : une pincée de curry, une cuillère à soupe de confiture d'orange. Lorsque le breuvage est refroidi, y ajouter une larme d'eau-de-vie de poire.

• **2e breuvage** : une cuillère à soupe de confiture de mûre, deux bonbons de zan naturel. Lorsque le breuvage est refroidi, y ajouter une larme d'eau-de-vie de mirabelle.

• **3ᵉ breuvage :** une pincée de poivre, une cuillère à soupe de confiture de coing et une infusion de menthe

• **4ᵉ breuvage :** une pincée de curry, une cuillère à soupe de miel et une infusion de thym.

Pulvérisez, versez dans une bouteille et réservez.

Pour les professionnels

Reconnaître un vin levuré d'un vin non levuré.

Préparez six jus.

Faites fondre dans une casserole remplie de 1 litre d'eau les éléments suivants :

• **1ᵉʳ breuvage :** un bonbon d'arôme de synthèse de Zan et deux bonbons à la fraise.

• **2ᵉ breuvage :** une cuillère à soupe de confiture bio de fraise et deux petits bonbons de réglisse de la marque Siréa (97 % pur).

• **3ᵉ breuvage :** deux bonbons d'arôme de synthèse d'orange et un bonbon d'arôme de Zan.

• **4ᵉ breuvage :** une cuillère à soupe de confiture d'orange et deux bonbons de réglisse de la marque Siréa (97 % pur).

• **5ᵉ breuvage :** un bonbon d'arôme de Zan et deux bonbons d'arôme de synthèse de mûre.

• **6ᵉ breuvage :** une cuillère à soupe de confiture bio de mûre et deux bonbons de Zan.

Pulvérisez, versez dans une bouteille et laissez refroidir.

NB : si vous préférez sentir davantage le Zan pour le 1ᵉʳ breuvage, je vous conseille d'ajouter un autre serpentin.

NB : la dégustation est primordiale : sentez deux fois le nez, une première fois sans bouger le verre et une seconde fois en le tournant. Goûtez le breuvage en aspirant un peu d'air. Pour la 3e dégustation (pour les professionnels), les breuvages 1, 3 et 5 sont de style buccal : la rétro-olfaction est nulle. Les breuvages 2, 4 et 6 sont de style spirituel : la rétro-olfaction est présente.

• Pour le 1er breuvage, vous pouvez sentir ces arômes dans le beaujolais vinifié en levures sélectionnées de laboratoire.

• Pour le 3e breuvage, vous pouvez sentir ces arômes dans les chablis et mâcons vinifiés en LS.

• Pour le 5e breuvage, vous pouvez sentir ces arômes dans les cabernets vinifiés en LS.

Reconnaissance de la chimie dans le vin

Jeux

Choisir quatre vins : deux sans ajout de soufre (exemple, domaine de la Paonnerie et domaine Les Maisons Brûlées ou prendre dans la liste des vignerons sans ajout de soufre à la fin du livre) et deux vins basiques achetés à moins de 4 €, non bio.

Servir dans les verres et les vider. Le but est de sentir les verres vides. Les vins sans ajout de soufre auront un nez pur de fruits, les autres sentiront le caoutchouc brûlé.

Ensuite, servir quatre autres verres et y plonger vitajuwel (voir *lexique*). Déguster les vins.

Les vins sans ajout de soufre seront très minéraux, les autres développeront le côté métallique en fin de bouche et, parfois, le soufre envahira la rétro-olfaction.

49

Chapitre 3
Mémo
de dégustation

Tableau des saveurs

Ce tableau est un aide-mémoire afin d'apprendre et de vous souvenir des vibrations que vous obtiendrez lors de la dégustation. Je l'appelle « mémo de dégustation ». Mettez une croix à chaque arôme, couleur et sensation que vous sentez. Peut-être que pendant votre apprentissage, vous découvrirez d'autres qualificatifs et d'autres sensations.

Comme la couleur n'est pas importante à mes yeux, j'ai élaboré un tableau à part.

Couleur	
Jaune pâle au reflet vert	
Jaune intense au reflet vert	
Jaune intense sans reflet vert	
Or	
Orangé	
Ambré	
Grenadine	
Rose saumon	
Groseille	
Cerise claire	
Cerise intense	

Teinte	
Profond	
Jeune	
Évolué	
Net limpide	
Trouble	
Nez	
Ouvert	
Discret	
Fermé	
Aromatique	
Soufré	

Pur propre	
Standart	
Complexe	
Évolué	
Jeune	
Attaque	
Souple	
Onctueuse	
Milieu de bouche	
Ample	
Concentré	
Court	

Dilué

Élégant

Étoffé, puissant

Friand

Long

Maigre

Perlant

Semi-étoffé

Finale

Courte

Longue

Semi-longue

Ronde

Tranchante

Nerveuse

Saline

Métallique

Minérale

Rustique

Tanins

Astringents

Durs et présents

Gras

Fondus

Rétro-olfaction	
Minérale	
Saline	
Courte	
Standart	
Semi-longue	
Longue	
Complexe	
Le nez du verre vide	
Fruit	
Pur propre	
Souffré	

Exercices de dégustation

Rappel

Le but de cet exercice est de jouer tout en apprenant. Chaque personne perçoit différemment chaque sensation. Le plus facile est de s'occuper des « nez » et non de définir les arômes, savoir reconnaître s'ils sont complexes, standards, ouverts, fermés, aromatiques ou propres. Ensuite, concentrez-vous sur l'attaque et la rétro-olfaction. La plus difficile phase à définir étant « le milieu », elle doit être appliquée lorsque vous savez reconnaître les autres phases. Vous pouvez acheter les vins puis suivre la dégustation grâce aux abrégés. J'ai choisi les vins en fonction de leurs différences de style, de terroir et de vinification.

Le jeu en vaut vraiment la chandelle. Je vous souhaite un bon amusement !

59

Comment vous repérer avec le tableau ?

Les lettres entre parenthèses représentent les abrégés du vin.

VPO : vin de pays grenache anonyme

R : côtes-de-provence domaine Revelette 2010 – AB LS

SA : château-sainte-anne 2009 Bandol AVN AB LI

JC : rosé des sables, vin de table Joël COUTAULT - AB LI AVN

JP1 : riesling 2002 Jean-Pierre FRICK avec un peu de soufre - BD LI-AVN

JP2 : riesling 2002 sans ajout de soufre Jean-Pierre FRICK - BD LI-AVN

LB1 : riesling Luss Calcaire 2009 Léon BOESCH - LI AB

LB2 : riesling Zinnkopflé grand cru 2009 Léon BOESCH - LI AB

GSR : grande signature lot 2008 Domaine Rapatel - LI NC

TGA : les Amandiers vin de France lot 2009 Château la tour grise - BD LI

M1 : mâcon en conventionnel d'un négociant anonyme

MV : mâcon-village domaine Valette 2007 - AB LI

PAB : beaujolais village l'emprunte 2008 Paul-André BROSSETTE - LR LI

JPB : beaujolais l'ancien 2009 Jean-Paul BRUN - NC LI

PJ : moulin à vent 2008 Paul JANIN domaine Les vignes du Tremblay - NC LS

AB : vin de campagne 2009 André BOURGUET - AB LI

DC1 : côtes-du-rhône primeur 2010 Domaine des coccinelles - AB LS

VC1 : côtes-du-rhône village 2009 Cuvée Béatrice Domaine du vieux chêne - LI AB

DC2 : côtes-du-rhône 2007 Domaines des Coccinelles - AB LS

DC3 : côtes-du-rhône sinargue 2009 - AB LS

FS : ferme Saint-Martin les terres jaunes 2009 - AB AVN

DP : côtes-de-provence domaine de Porquerolles - LR LS

GSR2 : grande signature lot 2008 domaine de Rapatel - NC LI

MR : moulin-riche 2007 second vin Léoville Poyferré - NC

HPC : haut-pontet-canet 2004 - NC LI

TG : château-tour-grise 2003 (cuvée bleue) Philippe Gourdon - BD LI

Les abrégés après le non du vin désigne la vinification et le type de l'agriculture.

AVN : association des vins naturels

LI : levures indigènes

LS : levures sélectionnées de laboratoire

LR : lutte raisonnée

AB : agriculture biologique

BD : agriculture biodynamique

NC : agriculture biologique non certifiée.

REMARQUE : nous sommes en période de crise, donc je ne parlerai jamais en mal d'un domaine. Les vins mal notés sont anonymes.

Couleur	
Jaune pâle au reflet vert	
Jaune intense au reflet vert	LB1/M1
Jaune intense sans reflet vert	Jp1 MV
Or	LB2/GSR/TGA
Orangé	JC JP2
Ambré	
Grenadine	
Rose saumon	Vpo r (avec un peu de rouge) sa
Groseille	
Cerise claire	PAB
Cerise intense	AB/ JPB/DC2/TG/DP

Encre	DC1/ VC1/MR/HPC/GSR2/DC3
Jeune	JPB/ AB/PAB/PJ/DC1/DP VC1/DC2/DC3/FS/MR/HPC/GS R2/M1
Évolué	JC JP1 TG GSR (un peu) TGA
Net limpide	Vpo sa r LB1/M1 PAB/JPB/PJ/DC1/VC1/DC2/FS/ DC3/MR/HPC.DP
Trouble	TG/GSR (à la fin de la bouteille)
Nez du bouchon	
Propre	SA R LB1 LB2 AB PAB : JPB/PJ/DC1/VC1/DC3/HPC/TG/ GSR.DP GSR2 GSR1 TGA MV
Soufre	Vpo un peu M1
Nez	
Ouvert	R JP2/PJ/DC1/MR/TG/TGA
Discret	vpo/ jc/ jp1/ LB 1/AB/GSR JPB/DVC1/DC2/DC3/FS/HP C/GSR2/MV
Fermé	sa/LB2/PAB/DP/M1
Soufré	vpo un peu M1

Aromatique	
Pur propre	JP1 SA R JC GSR DP/GSR2 JP2/LB1/LB2/AB/JPB/DC1/V C1/FS/TG/TGA/MV
Standart	vpo R /PJ/DC3/MR/DP/M1
Complexe	Jc/GSR2/TGA/MV1 JP2/LB2/AB/JPB/VC1/FS/HP C/TG/GSR
Évolué	JP1/ JP2/TGTGA (selon les personnes)/MV
Jeune	Vpo/ sa/GSR2/DP r/LB1/AB/JPB/PAB/PJ/DC1/F S/MR/M1
Attaque	R/LB1/LB2/AB/PAB/PJ/DC2/ DC3/MR/HPC/DP
Souple	
Onctueuse	Vpo/ SA/ jc/ JP1/ GSR/GSR2/MV/JP2/LB1/LB 2/JPB/VC1/FS/HPC/TG/ TGA/M1/
Milieu de bouche	PAB/MV
Ample	vpo r/GSR/DP/GSR2/TGA JP2/LB1/PJ/DC1/VC1/DC3/F S/MR/HPC
Concentré	R JP2/LB2/JPB/PJ/VC1/DC3/F S/GRS/TGA
Court	
Rustique	Tg (un peu)

Élégant	Sa jc JP1/LB1/AB/PAB/JPB/GSR2 DC2/FS/HPC/MV
Étoffé, puissant	Vpo r TGA JP2/LB2/JPB/PJ/VC1DC2/DC3/FS/GS R2
Friand	jc/AB/TG
Long	vpo r/GSR/DP JP2/LB2/JPB/PJ/VC1/DC2/DC3/HPC/T GA
Maigre/Dilué	
Perlant	JP2/AB/FS/TG
Semi-étoffé	Sa jc JP1/AB/PAB/DC1/HPC/TG/DP/M1
Semi-long	JcM1/MV JP1/LB1/PAB/JPB/DC1/FS/MR/TG/GS R2
Bulles fines	jc
Bulles grosses	
Gras	JP1/GSR
Finale	
Courte	Jc JP1/ PAB/ DC1/MR
Longue	VC1/GSR

65

Semi-longue	R sa/LB1/JPB/Pj/HPC/ TG/DP.GSR2/MV
Ronde	R JP1 JP2/LB1/LB2/DC1/GSR
Tranchante	Sa jc/JPB/PJ/TG/GSR2/TGA
Nerveuse	
Saline	
Métallique/asséchante	vpo/DC2 (un peu) M1
Minérale	
Rustique	
Tanins souples	PAB/JPB
Tanins astringents	
Tanins durs et présents	VC1/MR
Tanins durs et fins	AB/PJ/DC1/DC2/FS/HPC/D P/GSR2
Tanins gras	VC1/DC3/
Tanins fondus	TG (qui commencent à se fondre)

66

Rétro-olfaction zan	CD2/CD3 (cuir)/DP/M1
Minérale	Sa jc JP1 JP2/LB1/LB2/ AB/MV/Pab/JPB/VC1/FS/HPC/ TG.GSR2/TGA
Saline	jc/LB2/GSR/TGA
Courte	R/ Pab/PJ/MR(de tanin)/DP/M1
Complexe	Jc/TG/GSR/GRS2/TGA MV sa/LB1/LB2/AB/JPB/VC1/FS/H PC
Standard	vpo r/PJ/DC1/DC2/MR/DP/M1
Semi-longue	Jc JP1/AB/VC1/DC2 :/DC3/HPC/MV
Soufre	vpo/léger M1
Propre	R sa jc JP1/LB1/AB/DC3/FS/GSR
Longue	Sa JP2/LB1/LB2/ JPB/FS/GSR/GSR2/TGA
Le nez du verre vide	
Fruit	R sa jc JP1 JP2/JPB/FSTG/DP/TGA
Pur, propre	Sa r jc JP1/GSR"/DP JP2/LB1/ LB2/JPB/DC1/VC1/DC3/FS/MR de fût/HPC/TG/GSR2/TGA
Soufré	vpo un peu/ Pab léger/M1

67

1. Vin rosé

Levurage et propreté

Vin de pays d'oc grenache 2009 – VPO AB – 4 €
De couleur saumon, le nez est mandarine, le soufre était présent à l'ouverture. L'attaque est onctueuse, le milieu ample, long et la finale asséchante. En retour, vos narines seront inondées de soufre. Mon palais est aussi stressé par le côté métallique du vin. En conclusion, ce vin à 4 € m'est indigeste. Ce rosé ample de bonne maturité est gâché par le soufre. Il est la preuve que dans un vin, la symbiose entre la viticulture et la vinification est très importante. Il ne suffit pas d'être en bio pour être bon. Il ne faut pas sous-estimer la vinification.

Avec vitajuwel, le nez de caoutchouc et l'assèchement ressortent, la finale est encore plus courte. En retour de bouche, le fruit simple ressort.

Côtes-de-provence domaine Revelette® 2010 – LS AB
De couleur rose saumon un peu cerise, son nez est de fruit pur, sans soufre et sans complexité. Son attaque est ample, et son milieu ample, concentré et long. La rétro-olfaction est standard, courte, sans amertume et très propre.

Le premier nez est semblable au second, preuve d'un levurage mais il ne joue pas sur l'harmonie du vin, ni sur la propreté et la puissance du vin. Avec vitajuwel, le fruit ressort (grenadine propre au levurage) ainsi qu'une finale nette avec un petit peu de minéralité.

En conclusion, ce vin rosé de repas est un très bon vin puissant de style buccal.

Après une journée d'ouverture : le nez du vin est de bonbon de synthèse. Il est toujours puissant avec une finale ronde et une rétro-olfaction courte de zan.

Château-sainte-anne 2009 Bandol – (SA) AVN AB LI

De couleur rose saumon, son nez est fermé, complexe (iode, fruits secs, mandarine), propre. L'attaque est onctueuse, le milieu élégant, semi-étoffé, avec une finale semi-longue tranchante. La rétro-olfaction est propre (sans retour nasal de soufre). On y sent la minéralité, les agrumes légèrement amers.

Ce vin de style spirituel est savoureux et minéral. Mais encore fermé, il a fallu une demi-heure d'ouverture pour l'apprécier. Je vous conseille de le garder une année ou de le carafer.

Avec vitajuwel, le caoutchouc humide ressort, mais aussi un panel d'arômes. Le vin est toujours en dentelle, droit et minéral, sans retour de soufre. On sent en retour les fruits secs et les agrumes. Le nez du départ serait le soufre des levures qui travaillent ou la preuve que le vin n'est pas encore ouvert.

Après une journée d'ouverture : le vin est plus ouvert, plus puissant. Le nez est floral avec des notes minérales et de mandarine. Le tout est complexe et propre.

Pourquoi cet exercice
sur différents rosés ?

Cet exercice doit être élaboré avec des rosés dégustés à 12 °C et non glacés. La dégustation du rosé est l'une des plus difficiles qui soit. Grâce à vitajuwel, vous ressentirez le soufre, le levurage (fruit de synthèse : grenadine). Le plus important est de se concentrer sur le nez et la rétro-olfaction.

Les adresses

Françoise DUTHEIL de LA ROCHERE – AB AVN
Château St Anne – RN 8
83330 Sainte-Anne-d'Evenos
Tél. : 04 94 90 35 40
Fax : 04 94 90 34 20

Ce domaine fait partie de l'AVN. Ses bandols rouges sont de garde. Son rosé, le jour de la dégustation était fermé, le lendemain il était meilleur. C'est la rançon des vins naturels, ils sont à l'image des hommes, un matin en forme, un autre jour ils sont « imbuvables ». Pour les vins, il suffit de les carafer une heure ou de les boire le lendemain. Vous pouvez acheter leurs vins aux salons des vignerons indépendants de la porte de Versailles à Paris.

Château Revelette – Peter et Sandra FISCHER – AB
13490 JOUQUES
Tél.: 04 42 63 75 43
Fax : 04 42 67 62 04
E-Mail : *contact@revelette.fr*
www.revelette.fr
Ce domaine propose des vins purs comme son « grand rouge », un coteaux-d'aix très minéral. Le seul vin vinifié en levures exogènes est le rosé. Monsieur Peter Fischer a raison : un rosé doit être bu en été. Chaque vigneron est un chef d'entreprise, si votre vin rosé, symbole de votre appellation n'est pas prêt pour l'été, pécuniairement, c'est un problème. Je comprends la raison de la vinification en levures exogènes de Peter Fischer.

71

2. Pétillant naturel

Rosé des sables, vin de table Joël COUTAULT (JC) – AB LI AVN
De couleur orangé évolué, son nez est propre, pur, complexe et discret. L'attaque est onctueuse, ses bulles sont très fines. La rétro-olfaction est semi-longue, minérale et pure, avec des arômes d'agrumes amers. Cet effervescent savoureux est friand, élégant et gourmand. À consommer frais en été...

Joël COURTAULT – AB AVN LI
28, rue de Bel-air
41110 Thésée
Tél. : 02 54 71 50 06
Dans la Loire, de nombreux vignerons élaborent des vins pétillants ancestraux. Ce vigneron de Thésée propose aussi un blanc pétillant « sodalité », et de magnifiques vins tranquilles sans ajout de soufre. À découvrir.

3. Vin blanc

Le cépage riesling

L'un des plus grands cépages de vins blancs se trouve en Alsace. Les vignerons alsaciens se sont remis en question. L'agriculture biologique et la vinification propre y règnent depuis plus de dix ans.

Avec ou sans soufre :
Riesling 2002 Jean-Pierre FRICK (JP1), avec un peu de soufre – BD LI-AVN
De couleur jaune intense, son nez est propre et semi-complexe. Le milieu gras, élégant est semi-étoffé. La rétro-olfaction est semi-longue et minérale. Ce vin rond est à boire maintenant.
Une semaine plus tard : dégusté à 17 °C.

Ce vin rond est semi-long et semi-étoffé. La rétro-olfaction est semi-longue et semi-complexe avec xérès et coing confit.

Riesling 2002 sans ajout de soufre Jean-Pierre FRICK (JP2) – BD LI-AVN

De couleur évoluée orangée, son nez est propre et très complexe (coing, orange amère, xérès). Son attaque est onctueuse, son milieu est ample, long, concentré. La rétro-olfaction est fraîche, longue et minérale (xérès, confiture de fruit). Ce vin puissant, droit est très pur avec une grande minéralité. On peut encore l'attendre.

Une semaine plus tard : dégusté à 17 °C

L'attaque est très onctueuse, le milieu est très fin, avec une finale étincelante et une rétro-olfaction complexe (minéralité, fruit confit et xérès). À mon avis, ce vin de couleur ambrée est subtil et magnifique. Pour autant, il ne plaira pas à tout le monde et certains vous diront qu'il est trop sucré (attaque onctueuse) ou trop oxydé (couleur ambrée et xérès). Le nez du verre vide est magnifique, d'une grande pureté.

73

NB : la différence entre les deux est la couleur, et surtout la minéralité étincelante du second.

LES DIFFÉRENTS TERROIRS

Domaine Léon Boesch : deux vins du même cépage sur différents terroirs.

Riesling Luss Calcaire 2009 Léon BOESCH (LB1) – LI AB

De couleur jaune intense au reflet vert, son nez propre est complexe de minéralité, de fruits secs et d'agrumes. L'attaque est à la fois onctueuse et ample. Son milieu ample est élégant semi-long. Sa finale ronde possède une rétro-olfaction complexe, longue d'arôme minéral et légèrement amer d'agrumes.

Ce vin étoffé est long, rond avec une belle minéralité. Ce vin peut se garder ou être bu maintenant mais carafé. Avec vitajuwel : le nez commence à s'ouvrir, le vin est ample, concentré et très long. La rétro-olfaction plus ouverte est de fruits secs, d'agrumes et minérale. Magnifique.

Riesling Zinnkopflé grand cru 2009 Léon BOESCH (LB2) – LI AB

Sols calcaro-gréseux (Muschelkalk), exposition plein Sud. De couleur or, son nez est fermé. On peut y sentir citron et autres agrumes. L'attaque est à la fois onctueuse et ample. Le milieu concentré est puissant, et très long. Sa finale est ronde. Sa rétro-olfaction citronnée est longue propre et minérale. Ce grand cru vaut son titre : longueur, puissance et pureté. Ce vin doit être carafé ou attendu quelques années. Très grand vin.

Avec vitajuwel : le nez s'ouvre, le vin est toujours aussi long avec une grande rétro-olfaction longue incisive de minéralité et de fruits secs.

NB : la différence des deux est la concentration et la longueur du grand cru. Ils étaient très vivants au bout d'une semaine d'ouverture. À mon avis, la symbiose entre l'agriculture biologique et une vinification naturelle (levures indigènes et peu de soufre) permet d'obtenir des vins différents pour chaque terroir.

Domaine Jean-Pierre FRICK – AVN LI BD

5, rue Baer
68250 Pfaffenheim
Tél. : 03 89 49 62 99
Lire dans le chapitre Vignerons travaillant sans ajout de soufre. Vous pouvez acheter le vin à la cave Fleury 177, rue Saint-Denis 75002 Paris. Tél. : 01 40 28 03 39

Léon BOESCH – AB LI

6, rue Saint-Blaise
68250 Westhalten
Tél. : 03 89 47 01 83
Gérard Boesh, vice-président du comité vin, membre du conseil permanent, conseil agrément contrôle Institut national de l'origine et de la qualité (lire *Petit dico des vins naturels*) propose des vins de bons rapports qualité/prix comme ses crémants et son sylvaner. Ce domaine est incontournable en Alsace. Il est présent aux Vignerons indépendants de Paris, Porte de Versailles fin novembre.

SALINITÉ ET ORIGINALITÉ
Grande Signature lot 2008 Domaine Rapatel (GSR) – LI NC

De couleur or légèrement évolué, son nez discret donne des arômes de coing confit et d'anis. L'attaque est onctueuse, le milieu est ample ; concentré, long avec une rétro-olfaction saline très longue. Ce vin spirituel sans ajout de soufre est puissant, complexe et très salin. Il accompagne parfaitement la bouillabaisse, par exemple. (voir adresse p. 142)

Les Amandiers vin de France lot 2009 Château la tour grise (tga) – BD LI

De couleur or foncé un peu évolué, oxydé pour certains, son nez complexe est ouvert, pur, de poire (eau-de-vie) et de xérès. Son attaque est onctueuse, son milieu est ample, long en bouche. Sa finale est tranchante. La rétro-olfaction est complexe et longue (salin, eau-de-vie de poire). Ce vin étoffé et tranchant est très spirituel. Dans un restaurant parisien, ce vin accompagne une dorade laquée de miel et garnie de polenta crémeuse. Ce vin spirituel a été déclassé en vin de France par rapport à sa couleur. Un jour, dans ce même établissement, un vigneron conventionnel dîne. Il demande un verre de croze-hermitage blanc de Laurent Combier (bio vinifié naturellement). Il me répond qu'il préfère changer et prend un vin de style buccal plus conventionnel. Lorsqu'il se présente, je lui offre un verre d'amandier. Sa première réaction : la couleur est oxydée... donc, pour lui, le vin n'est pas bon. Ce quinquagénaire professionnel du vin n'a pas remarqué le soufre dans le second vin ni la pureté

dans les deux autres. Cet échange est la preuve que le chantier dans le monde du vin est immense :
• reconnaissance des deux styles du vin par les instances vinicoles ;
• reconnaissance du surplus de la chimie dans le vin ;
• mise en place de cours de dégustation reconnaissant les deux styles.

On peut ne pas aimer ce vin mais dire qu'il est oxydé, je ne suis pas d'accord. Il possède des notes oxydatives à l'instar de mes cheveux blancs. Et cela me va très bien, dixit mon fan-club féminin. (voir adresse p. 90)

Chardonnay

Mâcon M1 en conventionnel d'un négociant

77

Couleur jaune, son nez est bloqué par le soufre. De maturité phénolique (l'attaque est onctueuse) le milieu est semi-étoffé et semi-long. La finale est asséchante : preuve du soufre qui remonte dans mes narines. La rétro-olfaction est courte et standard. Ce vin m'est indigeste... trop soufré.

Mâcon-village domaine Valette MV 2007

De couleur jaune intense, son nez est complexe de beurre et de grillé, l'attaque est onctueuse, le milieu est élégant semi-étoffé avec une finale semi-longue. Sa rétro-olfaction est semi-longue minérale et complexe. Ce vin fin âgé de 4 ans est à boire maintenant.
Domaine VALETTE
Buissonnats
71570 Chaintré
Tél. : 03 85 35 66 59

4. Vin rouge

Tanins souples et levurage ou levures indigènes

PLUSIEURS BEAUJOLAIS.
Mon cépage préféré est le gamay surtout lorsqu'il est vinifié sans ajout de soufre et sans une macération carbonique à froid qui souvent m'ennuie.

**Beaujolais village l'emprunte 2008
Paul-André BROSSETTE (PAB) – LR LI**
De couleur cerise légère, le nez est standard mais bien fermé. L'attaque est ample, le milieu est droit tranchant, semi-long et semi-étoffé. La finale et la rétro-olfaction sont courtes avec une minéralité discrète. Ce beaujolais honnête de style tranchant, bien équilibré est d'un bon rapport qualité prix : environ 6 €. Très sensible, je ressens légèrement dans mes narines un peu de soufre.

Beaujolais L'ancien 2009 Jean-Paul BRUN (JPB) – NC LI
De couleur cerise intense, le nez discret est complexe fruit confit et de menthol. L'attaque est semi-onctueuse, le milieu pour un beaujolais est puissant, long et concentré. La finale est tranchante avec des tanins souples. La rétro-olfaction minérale est longue et complexe. Ce beaujolais de caractère est très minéral. On peut le garder. Acheté 11 €, mais cela les vaut.

Moulin à vent 2008 Paul JANIN clos Les vignes du Tremblay (PJ) – NC LS

De couleur cerise intense, son nez ouvert (avec une heure d'ouverture) est linéaire : le premier nez est identique au deuxième. L'attaque est ample, le milieu est ample concentré et long. La finale est tranchante, les tanins sont fins, la rétro-olfaction est peu complexe, on retrouve les tanins et le zan. Ce vin de style buccal est digne de son rang de grand cru. J'aurais préféré plus de minéralité que de zan et de tanins en rétro-olfaction. Vin que l'on peut garder encore plusieurs années. Acheté à 12 € chez Ariane et Bacchus.
Marché St Germain
75006 Paris

Domaine Paul André BROSSETTE (PAB) – LR LI

Lutte raisonnée, utilisation des levures indigènes, 50 hl/hectare, pas de macération carbonique : ce domaine que je ne connaissais pas propose un bon rapport qualité/prix que vous pouvez acheter à 6 € dans le magasin EX-cellar - 25, rue des Écoles 75005 Paris. Il a plus de minéralité lorsque le vin est ouvert depuis 3 jours.

Paul André BROSSETTE et Fils
Cruix
69620 Theizé
Tél. : 04 74 71 24 83. Fax : 04 74 71 28 98
Courriel : *contact@domaine-brossette.com*
www.domaine-brossette.com

Domaine Paul JANIN NC LS

Ce domaine pratique une agriculture proche de l'agro-biologie (selon leur site). Les levures exogènes sont utilisées : la rétro-olfaction courte de zan en est la preuve. Bon grand cru de style buccal.

65,1 rue de la Chanillière
71570 Romanèche-Thorins
Tél. : 03 85 35 52 80
Mail : *contact@domaine-paul-janin.fr*
www.domainepauljanin.com

Jean-Paul BRUN Terre dorée NC LI

Domaine de 4 hectares dans le Beaujolais, ce vigneron est le précurseur d'une vinification bourguignonne. L'agriculture est sans désherbant chimique, la vinification est sans chaptalisation, et sans levurage. Je vous conseille aussi le beaujolais blanc.

69380 Charnay
Tél. : 04 78 47 93 45
Fax : 04 78 47 93 38

Les différents tanins
durs et levurage ou sans

Vin de campagne 2009 André BOURGUET (AB) – LI
Cépage syrah, merlot et cabernet. Il doit être servi à 15 °C, à 18 °C le cabernet ressort et les tanins sont de mâche.
De couleur cerise, son nez complexe est discret, un peu d'écurie au départ. Ensuite il devient floral avec un peu de cuir. L'attaque ample s'ouvre sur un milieu friand légèrement gazeux au départ. Ses tanins sont présents mais fins. La rétro-olfaction est semi-longue. La minéralité est mélangée avec du cuir et des arômes floraux. Ce vin de comptoir à déguster à 15 °C est légèrement masculin. On peut le boire maintenant, carafé ou gardé 3 ou 4 ans
Avec vitajuwel : ce vin est plus fin, plus long. La minéralité est mélangée avec des tanins fins. Bon vin d'un excellent rapport qualité/prix.

André BOURGUET-MONTIMAS 34500 Béziers
Tél. : 04 67 76 26 28
andre.bourguet@wanadoo.fr
www.andre-bourguet.com
Ce domaine évolue d'année en année. C'est un très bon rapport qualité/prix. À Paris, la bouteille est vendue à 6 €, au domaine elle est à 5 €. Adreses : Quincave 17 rue Bréa 75006 Paris. Tél. : 01 43 29 38 24 et Arianne et Bacchus rue Lobineau, marché Saint-Germain 75006 Métro Odéon.

CÔTES-DU-RHÔNE

Côtes-du-rhône primeur 2010 Domaine des coccinelles (DC1) – AB LS

De couleur encre, son nez ouvert linéaire est de fruit (mangue). Son attaque est ample, ainsi que son milieu semi-étoffé et semi-long. Les tanins sont durs mais fins. Le retour est court et standard. Ce côtes-du-rhône primeur de style buccal est agréable, propre, sans dureté ni agressivité. Très bon rapport qualité/prix : 6 €.

Côtes-du-rhône village 2009 Cuvée Béatrice Domaine du vieux chêne (VC1) – LI AB (lire *vinpur.com*)

De couleur encre, son nez est complexe, discret, voire fermé. Ce vin doit être carafé. Son attaque est onctueuse, son milieu ample concentré et long. Ces tanins sont gras mais ne déséquilibrent pas le vin. Ce vin masculin est encore confiné. La rétro-olfaction est longue de tanins serrés et de minéralité. Ce vin recroquevillé doit être oublié en cave. Au bout d'une journée d'ouverture, ce vin s'ouvre, il est droit, tranchant avec un retour minéral semi-long. Les tanins sont, légèrement présents.

Avec vitajuwel : le nez ouvert est crème de cassis et eau-de-vie. Le vin est ample, long. Les tanins sont fins, la rétro-olfaction est minérale semi-longue. Le vin s'est ouvert.

Le nez du verre vide est toujours fermé. En conclusion, le vin dégusté actuellement n'est pas en phase. Laissons-le encore en cave pour l'instant.

Côtes-du-rhône 2007 Domaines des Coccinelles (DC2) – AB LS une journée d'ouverture

De couleur cerise intense, son nez discret n'est ni standard, ni complexe mais libère des fruits à eau-de-vie. Son attaque est ample, le milieu est élégant, long et agréable. La finale aux tanins présents est légèrement asséchante (et non métallique). La rétro-olfaction semi-longue est de zan. Ce vin de 2007 est d'un bon rapport qualité/prix. Étant très sensibles, mes narines perçoivent un léger soupçon de so2. Mais il ne me gêne pas. Le nez du verre vide est fermé totalement

Avec vitajuwel : le nez est ouvert de fruit à eau-de-vie. Il est linéaire. Le vin est plus ouvert, plus puissant tout en élégance. Les tanins sont fins, la rétro-olfaction est de zan sans retour de soufre. Intéressant. Ce test prouve que c'est un vin honnête de style buccal. Toutefois, la rétro-olfaction laisse un côté tanins de mâche dans la bouche qui n'est pas désagréable.

Côtes-du-rhône sinargue 2009 (DC3) – AB LS

De couleur encre, son nez est linéaire d'épices, de cuir. Son attaque est ample, le milieu imposant est concentré, long. Les tanins sont gras mais ne déséquilibrent pas le vin. La rétro-olfaction est semi-longue de cuir. Ce vin puissant doit être carafé ou bu dans plusieurs années. Très beau village tout en chaleur et puissant. Pour amateur de vins d'hommes.

Ferme Saint-Martin les terres jaunes 2009 – AB AVN (FS) (lire *vinpur.com*)

Couleur encre, son nez est complexe crème de cassis et marc de raisin. Son attaque est onctueuse, le milieu est ample concentré, élégant et semi-long. Les tanins sont présents mais fins. La rétro-olfaction est longue et minérale avec du cuir. Ce vin riche est frais grâce à la présence de gaz avec de la minéralité en rétro-olfaction. Vin étoffé mais gourmand.

Petit truc : les côtes-du-rhône et le vin de campagne possèdent des tanins durs (fins, gras selon les vins) et le gamay possède des tanins souples. La sensation sur votre palais sera :

• râpeuse pour les tanins durs,

• souple pour les tanins souples.

Domaine des Coccinelles AB LS

Domaine de 77 hectares en bio depuis 1976, ce domaine vinifie en levures exogènes. De style buccal, leurs vins côtes-du-rhône sont gourmands. Selon des tests en laboratoire, leurs levures exogènes ne sont responsables qu'une fois sur deux du départ de la fermentation. Vous pouvez acheter ces vins de bon rapport qualité/prix au marché bio Raspail, métro Rennes dans le 6e arrondissement de Paris.

Château des coccinelles

Rue des écoles

30390 Domazan

Tél. : 04 66 57 03 07

Différence de vinification

Honnêtement, j'ai reconnu les vins levurés pour les beaujolais, les rosés et pour le côtes-du-rhône nouveau. Mais pour les autres cuvées de rhône-village, il a fallu une journée d'ouverture, et aussi l'utilisation de vitajuwel pour faire la différence. C'est plus flagrant avec les vins de la ferme Saint-Martin ; en effet ce vin possède plus de fraîcheur. Au bout de quatre jours d'ouverture, lorsque les vins sont ouverts, les vins vinifiés en levures indigènes possèdent une rétro-olfaction longue minérale, et ceux en levures sélectionnées de laboratoire possèdent une rétro-olfaction courte de zan avec des tanins. À noter : les terroirs de sinargues donnent des vins imposants, alors que les terroirs de beaume-de-venise produisent des vins plus élégants.

SYRAH ET GRENACHE
Côtes-de-provence domaine de Porquerolles (DP) – LR LS
De couleur cerise très intense, son nez est fermé, mais laisse peu à peu apparaître du cuir. Son attaque est ample, le milieu est semi-étoffé, semi-long légèrement gazeux.
Ses tanins sont présents mais fins. La rétro-olfaction est courte de zan et de tanins.
Ce vin semi-étoffé possède un milieu agréable, mais sa finale démontre qu'il est encore jeune. Ce vin vinifié avec des levures syrah est agréable, propre et doit être carafé ou attendu.

Grande signature lot 2008 domaine de Rapatel (GSR2) – NC LI

De couleur encre, son nez est discret de crème de cassis et de fruits eau-de-vie. Son attaque est onctueuse, son milieu, grâce à du gaz, est élégant, étoffé et semi-long. Sa finale est fraîche avec une rétro-olfaction complexe minérale et épicée. Ce vin masculin est plein de fraîcheur et agréable à boire maintenant. Je vous conseille de le carafer. Et vous pouvez le garder quelques années.

La différence entre les deux : le nez et la rétro-olfaction du vin vinifié en levures indigènes sont plus complexes.

Domaine de l'île LR

Sébastien LE BER – Propriétaire récoltant

83400 Île de Porquerolles

Tél. : 04 98 04 62 30

Fax : 04 98 04 62 31

e-mail : *le-ber2@wanadoo.fr*

Ce domaine n'utilise pas de désherbants chimiques et commence à oublier le levurage sur le rosé et le blanc. Le but du vigneron est d'élaborer des vins propres. Je pense sincèrement que ce domaine sera en bio un jour.

LES BORDEAUX

Moulin-riche 2007 second vin Léoville Poyferré – (MR)

De couleur encre, son nez standard est de fût de chêne. Son attaque ample donne sur un milieu aussi ample mais semi-long. Les tanins durs sont présents mais ne déséquilibrent pas le vin. La rétro-olfaction est courte sans complexité avec une légère amertume tannique. De style buccal, ce 2007 ample possède un milieu semi-long et agréable. Je le préfère au 2006 qui est plus de garde.

Haut-pontet-canet 2004 (HPC) – NC LI

De couleur ample, son nez est complexe : un premier nez de fût qui tourne vite à l'arôme de thuya. Le marc de raisin arrive au bout de 30 minutes. L'attaque est à la fois ample et un peu onctueuse, le milieu est élégant, long et semi-étoffé. Les tanins sont durs mais tout en finesse. La minéralité dans la rétro-olfaction complexe est mélangée aux tanins et au zan. Ce second vin doit être carafé pour être apprécié.

Douze heures plus tard, le nez de fût est parti : on sent le cuir et le thuya. Le vin devient élégant, étoffé, bien équilibré. Les tanins sont plus fins, et la rétro-olfaction est plus minérale. Ce magnifique second vin tout en finesse est agréable à boire maintenant.

La différence entre les deux : tout d'abord, ce sont deux vins de deux styles différents qui déterminent cette grande région aimée de Monsieur Bob (Parker).

Le premier : les arômes restent dans la bouche, mais surtout, les tanins sont très présents (sans le déséquilibrer). La rétro-olfaction est courte.

Le second est plus aérien, les tanins sont fins et la rétro-olfaction est plus longue, avec une minéralité qui est mélangée avec les tanins.

La plupart des grands crus de bordeaux que j'ai goûtés ont le style du premier. Pontet-canet est le seul grand cru à la fois en biodynamie et vinifié en levures indigènes. Les fronsacs de Paul Barre, château-gombaude-guillot, château-mirebeau, les bordeaux de Jean-Pierre Lallemant sont tous du second style. Est-ce la symbiose entre une viticulture propre et une vinification en levures indigènes qui les différencie des autres ? Je le soupçonne...

Sachez que dans le restaurant où je travaille, un client m'a refusé un haut-des-pontet-canet : « pas d'âme, pas de structure », m'a-t-il dit. Ensuite je lui ai ouvert un moulin-riche 2006 et il était ravi. Le travail du sommelier est de comprendre le goût des clients. Je lui ai expliqué tout de même que notre pays offrait deux grands styles de vins : le style buccal et le style spirituel. Et qu'il préférait le premier.

Mon plus grand plaisir serait que les grandes instances puissent reconnaître ces deux grands styles de vin.

Société fermière du Château Léoville Poyferré
Le Bourg
33250 Saint-Julien-Beychevelle
Tél. : 05 56 59 08 30
Fax : 05 56 59 60 09
e-mail : *lp@leoville-poyferre.fr*
Moulin-riche est le second vin de ce château. Extrait de l'interview du chef de culture à lire sur *www.leo-ville-poyferre.fr* : « Nous disposons d'un plan de contrôle, basé sur des analyses de sols, qui permet de suivre l'état de santé des sols et de la vigne car la plante se nourrit exclusivement des éléments fournis par la vie des sols. Afin de stimuler la microfaune et la microflore des sols, un griffage accompagné d'un buttage est pratiqué, dès la fin des vendanges. » Les vendanges se font le plus tard possible. Et la vinification est élaborée depuis 1994 sous le conseil de Michel Rolland.

Château Pontet-Canet – BD LI
Trois dates importantes :
• 2002 : arrêt des désherbages
• 2005 : première récolte en biodynamie
• 2008 : arrivée des chevaux sur le domaine
Quelle différence depuis quelques années : l'arrêt des désherbants, la viticulture en biodynamie et une vinification en levures indigènes ont transformé radicalement le style de vin. Ce domaine est le commencement d'une nouvelle évolution dans le Bordelais.

89

LOIRE

Château-tour-grise 2003 (cuvée bleue) Philippe Gourdon (TG) – BD LI

De couleur cerise foncé, trouble, un peu évolué, son nez complexe est propre, de marc de raisin. Son attaque est onctueuse, le milieu perlant est légèrement rustique, semi-étoffé. Ses tanins commencent à se fondre et restent encore légèrement sur le palais. La rétro-olfaction est minérale et complexe. Ce vin gourmand est à boire maintenant.

2003 est l'année de la sécheresse. À l'aveugle en cinq ans, seul un épicurien allemand a découvert le cépage et la région. Souvent ce vin est confondu avec un vin du sud.

Château La Tour grise – BD LI

Françoise et Philippe Gourdon
1, rue des ducs d'Aquitaine
49260 Le-Puy-Notre-Dame
Tél. : 02 41 38 82 42
Fax : 02 41 52 39 96
e-mail : *philippe.gourdon@latourgrise.com*
www.latourgrise.com

Un des emblèmes en biodynamie de la Loire. Grâce à l'engagement de ce domaine, l'appellation saumur-puy-notre-dame a vu le jour. Ze bulle, un pétillant de soif enchantera aussi bien les filles que les garçons. Ce domaine est incontournable.

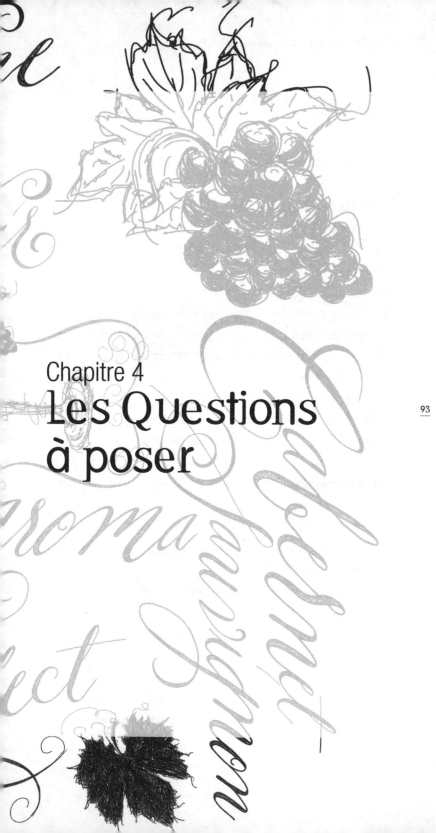

Chapitre 4
Les Questions
à poser

Au restaurant

Du sommelier au client

Pour le vin blanc

Service au verre

Le client ne sait pas faire la différence entre les vins blancs, sauf quelques rares esthètes. Il vous demandera : « Je veux un vin blanc sec. » Dans ce cas, ma première question est la suivante :

– *Préférez-vous un vin classique ou un vin étonnant ?*

S'il me répond *classique*, je lui donnerai un chablis ou un pouilly-fumé.

À la seconde question :

– *Préférez-vous un vin sec rond ou un vin plus nerveux ?*

Les réponses du client sont variables :

– *Je suis ouvert à tout, je voudrais un vin qui a du goût.*

Je propose alors un vin sans ajout de soufre, domaine de Rapatel en vin de table.

– *J'aime les vins secs mais aromatiques.*

Je choisis un vin d'Alsace (mélange de riesling, pinot-gris et chasselas).

– *Je suis ouvert à tout, mais je n'aime pas le goût sucré (sucre résiduel) en fin de bouche.*

Je sers un verre de crozes-hermitage blanc.

Service en bouteille

– *Préférez-vous un vin classique ou un vin étonnant ?*

S'il répond *classique*, je lui servirai un vin de style buccal.

– Préférez-vous un vin sec rond ou un vin plus nerveux ?
Si c'est un vin nerveux : plutôt buccal de Loire, san-cerre ou menetou blanc de Jean-Max Roger.
Si c'est un vin rond : un auxey-duresses (bourgogne) d'Olivier Leflaive.
Si le client désire un vin étonnant et qu'il est ouvert, je lui carafe un vin spirituel de bon rapport qualité/prix ou je lui sers un petit verre de dégustation pour lui faire découvrir son goût.

Pour le vin rouge

*– Préférez-vous un vin « glouglou » (léger, facile à boire),
un vin plus riche ou un classique comme le bordeaux ?*
Si le client répond : *Pas trop riche, mais pas trop léger*, proposez-lui un bourgogne fin et élégant comme un marsannay ou un santenay.
Si le client répond : *Puissant avec des tanins riches*, offrez-lui un vin buccal du sud avec des tanins très présents.
Si le client désire un vin rouge avec du poisson, optez pour un vin élégant avec des tanins fins.

L'accord mets et vin

J'ai remarqué que peu de personnes choisissent le vin en accord avec leurs mets. Ils sont environ 10 % seulement. C'est la raison pour laquelle, dans le res-taurant où je travaille, nous proposons un accord entre les plats typiques et la carte des vins (à la fois au verre et à la bouteille).

95

En conclusion :

Je suis heureux lorsque le client est content de mon service sans lui avoir choisi un vin au prix extravagant. Dans le restaurant où je travaille, plus de trente références sur soixante-dix sont entre 25 € et 42 €. Le sommelier doit être à la fois observateur et psychologue.

Nous devons connaître approximativement le budget du client sinon il ne reviendra pas. Mais d'un autre côté, si une vente est en dessous du budget souhaité par le client, votre restaurant perd de l'argent. Il faut donc être perspicace, patient et à l'écoute, ne pas proposer ce que vous aimez mais ce que le client désire : les classiques, les découvertes, les vins étonnants ou l'extraordinaire. En général, un bon rapport qualité/prix fidélise la clientèle.

Lorsque je sers au verre, j'annonce l'appellation du vin après dégustation et appréciation du client. Les idées reçues sont les ennemies des trouvailles du sommelier.

Du client au sommelier

Pour le champagne
Si vous n'aimez pas les champagnes nerveux :
« Je recherche un champagne brut, mais pas acide. »
Si vous aimez les champagnes qui ont du corps pour le repas :
« Je recherche un champagne vineux. »

Pour le rosé
Si vous aimez un rosé d'été facile à boire et nerveux :
« Je veux un rosé qui passe tout seul, et sec. »
Si vous préférez un rosé de repas :
« Je veux un rosé avec du corps. »

Pour le vin blanc
Si vous aimez les vins très secs :
« Je veux un vin nerveux. »
Si vous aimez les vins ronds :
« Je veux un vin sec avec des rondeurs. »
Si vous n'aimez pas avoir mal à la tête :
« Je recherche un vin blanc avec peu de soufre. »
Si vous voulez un vin au nez aromatique :
« Je recherche un vin fleuri mais sec. »

Pour le vin rouge
Pour un vin léger :
« Je veux un vin facile à boire sans trop de tanins. »
Pour un vin riche :
« Je veux un vin avec des tanins présents. »

Pour un vin élégant semi-étoffé :
« J'aime les vins tout en élégance avec des tanins fins. »
Si vous êtes comme moi :
« Je suis ouvert à tout, mais je voudrais un vin pur de type spirituel ou vin naturel. »

Dans un salon de vignerons

La « recrache » vous permet de déguster de nombreux vins, mais vous pouvez vous fatiguer vite.

À la recherche du bon vigneron

Afin de savoir si le vigneron travaille sainement la viticulture, demandez-lui s'il désherbe les vignes. Si tel est le cas, il utilise forcément des produits chimiques. Les herbicides rendent le sol dur, les racines ne s'y enfoncent plus. Par conséquent, les rendements augmentent et les raisins donneront un vin plus dilué qu'un vin issu de terre labouré.

Une viticulture bio donne des raisins sains dont la maturité est optimale (lire *Le Guide vins vivants*, mais elle n'est pas une fin en soi et pas la preuve d'un bon vin.

Si vous rencontrez un vigneron bio, je vous conseille de lui poser les questions suivantes :
– *Utilisez-vous les levures sélectionnées de laboratoire ou une flash-pasteurisation ?* (voir lexique)
– *Chaptalisez-vous ?*
– *À quel moment utilisez-vous le soufre ?*

À la recherche du bon vin

Pour les vins blanc et rouge :
– Je suis à la recherche d'un vin jeune, à boire dès maintenant et que je peux garder encore deux années.
– Je suis à la recherche d'un vin de garde.

Pour le vin blanc :
– Je recherche un vin nerveux.
– Je recherche un vin rond mais pas acide.
– Je recherche un vin au nez aromatique mais sec.

Pour le vin rouge :
– Je recherche un vin aux tanins souples.
– Je recherche un vin riche aux tanins durs.
– Je préfère les vins élégants.

99

Lors de la dégustation, sentez le nez du verre afin de voir la propreté du vin.
Si vous voulez acheter un vin de garde, achetez une bouteille, ouvrez-la puis dégustez-la sur plusieurs jours. Un vin de garde se déguste bien sur une bonne semaine.

Accords mets et vins
Je ne suis pas pour un accord mets et vin par appellation. La symbiose entre une agriculture biologique bien maîtrisée et une vinification pure donne du tempérament au vin. Cette personnalité est différente des

vins conventionnels de la même appellation. Ensuite, beaucoup d'appellations souffrent d'idées reçues qui s'apparentent à la discrimination.

Ce chapitre vous apprendra les différentes dénominations des vins (glouglou, semi-étoffé, etc.) et comment avoir une meilleure approche de l'ensemble des vins.

Les vins rouges

Vins glouglou rouges : des vins de comptoir, faciles à boire accompagneront bien les cochonnailles, le poulet grillé, les grillades, la paella, etc.

Exemples : cheverny en semi-carbonique de Villemade, beaujolais nouveau de Marcel Lapierre, côteaux-d'Ancenis de La Paonnerie.

Vins semi-étoffés : des vins ni trop légers ni trop lourds possédant des tanins fins ou fondus selon les années enchanteront vos papilles sur de la viande blanche, sauce vin rouge (exemple : poulet chasseur champignon et sauce au vin), des abats (rognons sauce vin rouge, foie sauce vin rouge).

Exemples : les vins rouges du Jura de Jean-François Ganevat, Emmannuel Houillon et Domaine de la Pinte. Les pinots-noirs alsaciens de Jean-Pierre Frick, de Heidi...

Si vous êtes plus classique, les bourgognes ou les bordeaux ayant quelques années.

Vins rouges puissants aux tanins présents : avec une bonne maturité phénolique, les vins issus de cépages de type tanins durs (exemples : syrah, côt, cabernet-sauvignon, etc.) présenteront une finale présente qui ne déséquilibrera pas le produit. Ils se marieront bien avec une côte de bœuf, un bœuf bourguignon ou un cassoulet.

Exemples : côteaux-de-quercy du château Vent d'Autant, grande signature du domaine de Rapatel, bandol cuvée Prestige de château Sainte-Anne, pomerol château Gombaude-Guillot (jeune).

Pour le poisson : si vous n'aimez pas le vin blanc, un vin glouglou ou semi-étoffé aux tanins fondus.

Les vins blancs

Sur dix bouteilles vendues en France, sept sont de couleur rouge, deux sont de couleur rosée et une de couleur blanche. Le soufre, la chimie ont rendu des lendemains difficiles aux consommateurs. Autour de moi, beaucoup de personnes reviennent sur le blanc grâce aux vins issus de l'agriculture biologique certifiés ou non et vinifiés naturellement. Le vin blanc me donne plus de sensations que le vin rouge. Dans mon expérience, les vins blancs donnent plus d'accords que les vins rouges. Comme dit Jean de Lafontaine : « 10 têtes 10 avis. »

Les nerveux font partie du style buccal. Ils accompagneront apéritif, coquillages, huîtres. La finale est tranchante vive.

Exemple : amphibolite muscadet Landron. Pourquoi ne pas prendre un champagne bien minéral pour ccompagner les huîtres ou les coquillages ?

Les glouglous : la finale est minérale mais le tout est bien équilibré, le milieu est gourmand.
Exemples : croze-hermitage blanc (étiquette bleue) de Laurent Combier, muscadet de la Paonnerie. Ils accompagneront les poissons grillés et les entrées.

Semi-étoffés secs : entre la légèreté et la puissance, la finale n'est pas nerveuse, minérale et sans sucre. Ils accompagneront bien des poissons blancs.
Exemples : chablis, mâcon, riesling sec.

Semi-étoffés fleuris : les vins sont parfumés, tout en rondeur pour accompagner, sans sucre résiduel, un plat épicé.
Exemples : un gewurztraminer de Jean-Pierre Frick sur une paella. Alsace 3/3 (pinot-gris, chasselas, riesling) domaine Valentin Zusslin sur un tartare de thon.

Étoffés avec sucre résiduel : à la fin, vous trouverez une finale ronde avec du sucre résiduel. Ils accompagneront les plats épicés en sauce.
Si le vin blanc possède une finale tranchante, les épices donneront une amertume et l'accord sera dissocié. Par contre, le sucre résiduel donne une rondeur et soutient les épices ou le sucré-salé.
Exemples : daurade laquée de miel polenta moelleuse au parmesan : saumur blanc 2009 les Amandiers. Bouillabaisse grande signature 2006 ou 2008 domaine de Rapatel (Nîmes).
Mais n'hésitez pas à déguster ces vins avec une volaille blanche à la crème, un sauté de veau ou du porc au curry, riz madras.

REMARQUE : les vins issus de l'agriculture biologique vinifiés naturellement donnent une grande rétro-olfaction minérale mais possèdent aussi une finale ronde avec du sucre résiduel (exemple : l'Alsace et la Loire).

Vin blanc puissant sans sucre résiduel : le vin est ample et long en bouche.
Exemples : grand cru de Bourgogne, vin du Jura (tel que château-chalon, arbois), et certains Loire bio. Ils accompagneront le homard, le coq au vin blanc, les fromages forts (époisses, langres, maroilles).

Vin blanc liquoreux, vin blanc moelleux : Ils accompagneront le foie gras et certains desserts.

Les rosés
Les nerveux : sont surtout de style buccal. À boire durant l'été, très frais.

Les semi-étoffés : à la robe saumon, ils sont secs, sans sucre résiduel. Le meilleur exemple est l'étincelant bandol château Sainte-Anne. Ils accompagneront les grillades aux herbes ou les entrées.

Les étoffés : à la robe grenadine, ils possèdent généralement du sucre résiduel. Ils accompagneront les plats asiatiques épicés ou la paëlla.
Exemple : le vin du domaine des sablonnette (ce n'est pas un rosé !).

103

Chapitre 5
Les Cavistes

En partenariat avec le site *www.vinsnaturels.fr,*
voici les caves de province où vous pouvez
acheter du vin issu de l'agriculture biologique
vinifié en levures indigènes.

Alsace

Au Fil du Vin... Libre
26, quai des Bateliers 67000 Strasbourg
Tél. : 03 88 35 12 09
Le Rouge et le Noir (cave à manger)
42, avenue Clémenceau 68100 Mulhouse
Tél. : 03 69 19 15 23
E-mail : *lerougeetlenoir@numericable.fr*
http://lerougelenoir.canalblog.com

Auvergne

La cave d'Agnès (caviste)
23, rue Lucas 03200 Vichy
Tél. : 04 70 96 17 41
E-mail : *lacavedagnes@wanadoo.fr*
Caves Tissandier
10, boulevard Desaix 63000 Clermont-Ferrand
Tél. : 04 73 35 39 97
La Taverne du Beffroi
2, rue Joseph-Claussat 63290 Châteldon
Tél. : 04 73 94 60 20
E-mail : *latavernedubeffroi@gmail.com*

Bretagne

La bouteille à la mer
38, quai de la Douane 29200 Brest
Tél. : 02 98 44 49 38
E-mail : *labouteillealamer@ymail.com*
Le Petit Saint Michel – cave à manger
2, rue de l'Église 22300 Saint-Michel-en-Grève
Tél. : 02 96 35 74 48
http://le-petit-saint-michel.vinsnaturels.fr

Bourgogne

Du Vin au Vert – caviste
6, boulevard de la Trémouille, 21000 Dijon
Tél. : 03 80 72 52 27
www.duvinauvert.fr
O gré du vin – caviste
106, rue Monge 21000 Dijon
Tél. : 03 80 58 86 68
www.ogreduvin.fr

107

Champagne

Au Bon Manger – épicerie
7, rue Courmeaux 51100 Reims
Tél. : 03 26 03 45 29
E-mail : *epicerie@aubonmanger.fr*
www.aubonmanger.fr

Languedoc-Roussillon

Cave au Vin Vivant – caviste
6, rue André-Portes 34200 Sète
Tél. : 06 64 17 53 97
E-mail : *auvinvivant@gmail.com*

Chai Christine Cannac
3, square Robert-Schuman 34600 Bédarieux
Tél. : 04 67 95 86 14

Le comptoir des Célestins – caviste
13, place Voltaire 11100 Narbonne
Tél. : 04 68 27 55 78

El Xadic Del Mar – Banyuls pays
11, avenue du Puig-Del-Mas 66 650 Banyuls
Tél. : 04 68 88 89 20

Loire

Caves 47
47, avenue de la Tranchée 37100 Tours
Tél. : 02 47 41 20 66
www.caves47.com

Le Feu à la Cave
47, rue Nationale 37250 Montbazon
Tél./Fax : 02 47 26 55 83
E-mail : *info@lefeualacave.com*
www.lefeualacave.com

Le Marché du Vin
10, rue des Perrières 41350 Saint-Gervais-la-Forêt
Tél. : 02 54 42 11 56

Le Pressoir Saint-Laurent
1, avenue Sortais 44130 Blain
Tél. : 02 40 79 95 48
E-mail : *lepressoirstlaurent@orange.fr*
Le Toscin caviste
36, rue Édouard-Vaillant 18000 Bourges
Tél. : 02 48 65 00 58
E-mail : *letoscin@letoscin.fr*
www.letocsin.fr

Nord Pas-de-Calais et Picardie

Biovino
3, place Sébastopol 59000 Lille
Tél. : 03 20 10 62 01
E-mail : *biovino@hotmail.fr*
CavaDom.com – caviste à domicile
10, rue des maisonnettes 02400 Verdilly
Tél. : 06 84 96 55 15
E-mail : *hubert@cavadom.com*
www.cavadom.com

Normandie

Baraou et associés
13, rue des sureaux 28410 Bû
Tél. : 02 37 62 17 48
E-mail : *laurent@baraou.fr*
http://baraou.fr

Le casier à bouteilles – cavistes
80, rue Président-Wilson 76600 Le Havre
Tél. : 02 35 21 54 22
E-mail : *contact@casier-a-bouteilles.fr*
http://casier-a-bouteilles.fr

Provence

Cave de Trinquetaille – cave
Avenue de la Gare-Maritime 13200 Arles
Tél. : 04 90 96 64 34
www.cavedetrinquetaille.com
Le cœur des vignes – cave à vin avec parfois des concerts de jazz

57, rue d'Endoume 13007 Marseille
Tél. : 04 91 52 85 47
http://lecoeurdesvignes.com
Entre 2 vins
1, rue James-Close 06600 Antibes
Tél. : 04 93 34 46 93
www.entre2vins.com
Si belle la vigne – caviste
36, cours Julien 13006 Marseille
Tél. : 04 91 63 11 91
E-mail : *contact@sibellelavigne.com*
www.sibellelavigne.com
La Passerelle
26, rue des Trois-Mages 13006 Marseille
Tél. : 04 96 12 46 12
E-mail : *librairiepasserelle@yahoo.fr*
la.passerelle.over-blog.com

Rhône

Entre deux vins – caviste
34, rue Chevreul 69007 Lyon
Tél. : 04 37 65 72 82
La Cave des Vins Nature – cavistes
23, rue Bouteille
et 34, rue Chevreul 69000 Lyon
Tél. : 06 01 86 76 67
http://lacavedesvinsnature.blogspot.com
Le Chant des Bouteilles – cavistes
11, rue Béranger-de-la-Tour 07200 Aubenas
Tél. : 06 60 28 99 18
E-mail : *contact@lechantdesbouteilles.com*
Les couleurs du vin – caviste
47, cours Richard-Vitton 69003 Lyon
Tél. : 04 78 54 73 35
http://couleursduvin.fr/la-cave-au-naturel-installee-a-montchat
Les Petites Caves – caviste
215, rue Hélène-Boucher 69140 Rillieux-la-Pape
E-mail : *contact@petitescaves.com*
http://petitescaves.com
Le Saint-Jus – cave à manger
76, rue saint Georges 69005 Lyon
04 78 37 63 18
E-mail : *lesaintjus@yahoo.fr*
www.myspace.com/lesaintjus

Vins Quotidiens – caviste
61, avenue Jean-Jaurès 69007 LYON
Tél. : 04 78 69 46 37

Savoie Jura et Ain

Le meilleur du vin – caviste
6, rue Pavé-d'Amour, Place de la Grenouillère 01000
Bourg-en-Bresse
Tél. : 04 74 22 34 32
E-mail : *contact@lemeilleurduvin.com*
www.lemeilleurduvin.com

La Nature du Vin – cave à manger
3, route des Vignes 74160 Saint-Julien-en-Genevois
Tél. : 04 50 83 36 19
E-mail : *contact@lanatureduvin.fr*
www.lanatureduvin.fr

Wine et vin – caviste
128, impasse des Vignes-Rouges 74320 Sevrier
Tél. : 04 50 02 20 20
www.wine-et-vin.com

Sud-ouest et Aquitaine

Vin Nouveau – caviste
14, allée Frédéric-Mistral 31400 Toulouse
Tél. : 06 87 90 99 76
E-mail : *bayard@vinnouveau.fr*
www.vinnouveau.fr

In Vino Fredo – caviste
1, avenue de Toulouse 31130 Balma
Tél. : 05 61 20 26 51
E-mail : fredericledoux@invinofredo.fr
http://invinofredo.com

Le Vin et Caetera – caviste
21, rue Victor-Hugo 24310 Brantome
Tél. : 05 53 07 15 94 – 09 63 63 12 15
E-mail : cave.brantome@gmail.com

Les Papilles Insolites – cave à manger
5, rue Alexander-Taylor 64000 Pau
Tél. : 05 59 71 43 79
http://lespapillesinsolites.blogspot.com

Le vin au vert – cave à manger
3, rue des Clercs 38000 Grenoble
Tél. : 06 12 71 03 30
http://levinauvert.vinsnaturels.fr

Les Flaveurs de La Terre – caviste
7, rue Balzac 37600 Loches
Tél. : 02 47 59 08 91
E-mail : contact@caviste-touraine.com

Les Caves du Forum – caviste
10, rue Courmeaux 51100 Reims
Tél. : 03 26 79 15 15
E-mail : contact@lescavesduforum.com
www.lescavesduforum.com

La Cave des Vins de France – caviste
9-11, avenue Patton 49000 Angers
Tél. : 02 41 48 15 09
E-mail : info@cave-des-vins-de-france.com
www.cave-des-vins-de-france.com

Au nez palais – caviste

12, rue Saint-Laurent 14000 Caen

Tél. : 02 31 86 33 66

www.aunezpalais.com

Le sommelier du val Éric Parmentier – caviste

32, Grand-Rue 45110 Chateauneuf-sur-Loire

Tél. : 02 38 58 90 88

E-mail : *lesvinsdelarochellerie@wanadoo.fr*

Le fruit Défendu – caviste

31, rue Édouard-Grimaux 86000 Poitiers

Tél. : 05 49 03 06 83

E-mail : *lefruit.defendu@yahoo.fr*

http://lefruit.defendu.over-blog.com

Les Jardins de Saint-Vincent – cave à manger

Stéphane Planche

49, Grande-Rue 39600 Arbois

Tél. : 03 84 66 21 75

E-mail : *contact@lesjardinsdestvincent.com*

www.lesjardinsdestvincent.com

La Cave du Sommelier – caviste

24, rue Hoche 35000 Rennes

Tél. : 02 99 63 14 68

www.cave-du-sommelier.com

Mon Paris : cavistes

MON SIXIÈME

La Crémerie – bar à manger

9, rue des Quatre-Vents 75006 Paris

Tél. : 01 43 54 99 30

À peine 15 couverts dans cette cave à manger ou se côtoient de belles bouteilles au naturel telles que Courtois, Desplat et j'en passe des meilleures.

Bacchus et Ariane

4, rue Lobineau 75006 Paris

Tél. : 01 46 34 12 94

Georges, le propriétaire, vous propose les deux styles de dégustation. Coté spirituel vous trouverez en alsace Barmes-Buecher, en champagne Larmandier-Bernier et Vouette-Sorbet. À noter que le vin de campagne d'André Bourget est vendu à 6 €.

La Dernière Goutte

6, rue Bourbon-le-Château 75006 Paris

Tél. : 01 43 29 11 62

Vous trouverez domaine de Rapatel et domaine de la tour grise dans cette cave où ont lieu des dégustations certains samedis. La cave se trouve dans une rue adjacente à la rue de Buci qui est pour moi un petit village.

Le Vin en Tête

53, rue Saint-Placide 75006 Paris

Tél. : 01 42 22 01 05

Cette troisième cave de ce mini-groupe créé il y a dix ans, se trouve à cent mètres du Bon Marché. Vous trouverez Château Mirebeau, Jacques Beaufort en champagne, Michel Augé, domaine de la Grapperie : un beau panel de vignerons issu de l'agriculture biologique et vinifié en levures indigènes.

HORS SIXIÈME

Cave de l'insolite

Michel Moulherat

30, rue Folie-Méricourt 75011 Paris

Tél. : 01 53 36 08 33

Le Garde-robe – cave à manger

41, rue de l'Arbre-Sec 75001 Paris

Tél. : 01 49 26 90 60

Cave d'Ivry

Paco Mora

40, rue Marat 94200 Ivry-sur-Seine

Tél. : 01 46 58 33 28

Chapitre 6
Liste des vignerons travaillant sans ajout de souffre

Mouvement venant de France ;
quelques irréductibles Gaulois,
artistes funambules, élaboraient des vins
sans ajout de soufre fin des années
quatre-vingt-dix.

Éric Calcutt (The Picrate) fut, avec Claude Courtois et Pierre Overnois, le pilier de cette mouvance. Le premier a disparu de la circulation, les deux autres ornent les caves d'amateurs de vins naturels. Aux prémices de ce mouvement, des erreurs furent commises : errare humanum est. Les dinosaures des vins buccaux, autant professionnels que journalistes, éduqués par l'intolérance et les préjugés jugèrent que ce type de vin n'était pas bon. « Le livre des vins naturels comme le dit si généreusement l'un des papes, Jean-Pierre Frick en Alsace, a été ouvert il y a seulement une grosse décennie. Laissons le temps aux vignerons sans ajout de soufre de progresser et de se parfaire. » Dans cette mini-liste subjective, ces vignerons sont mes préférés. J'en ai peut-être oubliés, en effet je ne suis pas une bible, mais aussi ai-je évité les vignerons pratiquant la vinification macération « trop » carbonique qui ne sont pas mes préférés (lire ci-contre).

Ce qu'il faut savoir :

- Un vigneron sans ajout de soufre doit élaborer une viticulture très saine sans désherbant chimique, sans fongicide ni pesticide afin de pas déséquilibrer la faune et la flore et d'obtenir une bonne maturité et un bon état sanitaire du raisin. Ils pratiquent tous en bio.
- Le vin possédera toujours du soufre. En effet, les levures indigènes en produisent : c'est l'auto-protection.
- Le nez d'écurie qui provient de l'auto-protection peut vous choquer. Il suffit d'aérer le vin en le carafant. Si le nez persiste, c'est un défaut : levure Bret.
- Le vin gaze : le vigneron naturel laisse toujours un peu de gaz carbonique naturel pour protéger le vin. Il suffit de le carafer afin de le faire disparaître.
- Un bon vin sans ajout de soufre possédera deux nez différents, si les deux nez sont identiques souvent trop oxydatifs : le vigneron, à mon avis, a raté son vin.
- « Ces vins sont à boire jeunes, ils ne vieillissent pas. » Cette réflexion de néophytes est fausse. Les vins sans ajout de soufre vieillissent, mais peuvent aussi se boire dans la jeunesse, souvent en les carafant. J'ai bu un the Picrate 96 (magnifique), un manganite 2001 et herdelot 2001 en 2008 (superbes).
- Ces vins ne sont pas du soda, ils ont une forte personnalité et comme nous sont vivants. Un matin vous vous levez du mauvais pied, et vous êtes « imbuvable ». On ne sait pas pourquoi. Pour le vin sans ajout de soufre, c'est pareil. Certains matins, ils sont « intorchables » (lire Petit dico des vins naturels).

121

Vous avez trois solutions :
- vous ne le buvez pas tout de suite, mais le lendemain
  ou le surlendemain ;
- vous le carafez ;
- vous ajoutez vitajuwel pendant quelques minutes.

La macération carbonique

(tiré du *Petit Dico des vins naturels*) :
c'est une vinification sous gaz carbonique de raisins
rouges non foulés, nés dans la région du Beaujolais.

« La cuve est préalablement saturée en gaz carbonique, les raisins sont encuvés sains et entiers... Le
soufre n'a plus de raison d'être puisque la vendange
est sous la protection du gaz carbonique... Sulfiter
implique un remuage du jus et des raisins, peu compa-
tible avec le principe de macération de raisins intacts. »
Extrait du livre *Le vin au naturel* de François Morel.
Après plusieurs dégustations à l'aveugle, je me
suis rendu compte que j'ai une préférence pour
les beaujolais vinifiés à la bourguignonne ou en
semi-carbonique. Je retrouve plus de minéralité et de
complexité dans les premiers.
La macération carbonique donne des vins glouglou,
terme propre à Monsieur François Morel et typique
des vins de comptoir. Mais je ne les critique pas
et si j'étais vigneron, ma première cuvée serait une
macération carbonique facile à boire et à vendre
rapidement.

« Macération carbonique : pour ou contre

Deux beaujolais nouveaux 2010 dégustés le 18 novembre 2010. Deux vins vinifiés différemment, le premier en macération carbonique, l'autre en semi-carbonique.

Marcel Lapierre 2010 beaujolais

• Nez simple linéaire : il n'y a pas de différence entre le premier et le second nez.

• Couleur cerise claire.

• L'attaque est souple, le milieu est friand, les tanins sont souples. La rétro-olfaction minérale est discrète. Ce beaujolais nouveau sans acidité est glouglou, facile à boire.

Beaujolais village 2010 Christian Ducroux (semi-carbonique)

• Nez complexe (zan, minéralité) : le premier nez est dissemblable du second.

• La couleur est cerise légèrement foncée.

• L'attaque est onctueuse, le milieu est ample, long avec une finale fine. Ce vin est puissant et long pour un beaujolais nouveau. Sa rétro-olfaction est plus longue et complexe.

Ces deux vins naturels (certainement sans ajout de soufre) sont la renaissance du beaujolais nouveau. Issus tous deux de l'agriculture biologique et vinifiés en levures indigènes, le premier est différent du second grâce à une vinification totale en macération carbonique. J'ai une préférence pour le second, qui présente plus de complexité minérale. » Article décembre 2011 sur Vitis vini bio.

123

Pour découvrir plus de vignerons sans ajout de soufre, je vous conseille le site de l'AVN (*www.lesvins-naturels.org*).

Certains vins sont sans ajout de soufre, ou ont reçu le soufre seulement à la mise en bouteille. Attention, ces producteurs proposent des vins très personnalisés, voire spirituels. Le consommateur doit être compréhensif et tolérant avec le vin. Ne pas oublier de le carafer ou de l'ouvrir avant.

AB : agriculture biologique
Bd : biodynamie
NC : non certifié
AVN : vigneron faisant partie de l'association des vins naturels

Lorsqu'il n'y a pas de de date, le vin a été dégusté en février 2011. Beaucoup de vins sont en cours d'élevage, et n'ont pas encore l'AOC.

À l'étranger

Italie

Stefano Belloti BD

Cascina degli ulivi

strada mazola 14

15067 Novi Ligure

Tél. : 01 43 74 45 98

E-mail : *info@cascinadegliulivi.it*

L'autre pays du vin naturel est l'Italie. Ce vigneron propose de grands vins blancs sans soufre ajouté. En France, vous pouvez le trouver à Monbazon (Le feu à la cave).

Belloti bianco vino

• De couleur jaune, son nez est frais. L'attaque semi-ample est joyeuse et gourmande. C'est un vin de comptoir.

Filagnotti

• De couleur jaune intense aux nuances orangées, son nez est plus évolué que le précédent et complexe.

• Ce vin puissant et concentré est long en bouche. La rétro-olfaction d'agrumes et de minéralité vous transporte loin dans la complexité.

Stephano Belloti, entre Turin et Parme, produit des vins sans ajout de soufre. Il élabore des blancs tous différents les uns et des autres (du nez frais au nez oxydatif), et des vins rouges généreux de garde. J'ai une préférence pour la spiritualité des vins blancs. Bon rapport qualité/prix.

125

Espagne
Joan Ramon Escoda Celler Escoda

E-mail : *jre@celler-escodasanahula.com*

Chenin. El bassot 08
• Chenin ample et long en bouche. Ce chenin ne possède pas de sucre résiduel et est un monstre de puissance. Comme tout grand vin il ne manque pas de fraîcheur.

Nas del gegast
• Ce vin rouge au milieu facile possède des tanins fins.
• Ce beau vin joyeux à la finale légèrement présente vous surprendra par sa fraîcheur et sa gourmandise.

Au sud de Barcelone, près de Tarragone ce vigneron élabore ses vins sans ajout de soufre, de grande personnalité et de grande fraîcheur : étonnant.

En France

Alsace

Domaine Biner BD AVN

Domaine Binner

2, rue Romains

68770 Ammerschwihr

Tél. : 03 89 78 23 20

www.alsace-binner.com

Situé au nord-ouest de Colmar, l'un des piliers de l'AVN propose des cuvées hors normes sans ajout de soufre, à la fois puissantes et gouleyantes. Il est présent chaque année au Salon des vignerons indépendants porte de Versailles. Les eaux-de-vie sont époustouflantes.

Saveur printanière 2006 (dégusté en 2009).

• Ce vin sans soufre à la couleur orangée possède une légère acidité volatile.

• Ce vin ample possède une minéralité longue.

• Ce vin spirituel à base de plusieurs cépages impose par sa puissance.

Jean-Pierre Frick BD AVN

5, rue de Baer

68250 Pfaffenheim

Tél. : 03 89 49 62 99

E-mail : *contact@pierrefrick.com*

L'un des meilleurs biodynamistes de France situé entre Mulhouse et Colmar propose quelques vins sans ajout de soufre, de grand rapport qualité/prix, étonnants, surtout sur des cépages tels que pinot-blanc et riesling. Je vous conseille de déguster deux vins du même millésime et du même cépage, l'un avec soufre, l'autre sans ajout de soufre.

Julien Meyer BD AVN

Patrick Meyer
14, route du vin
67680 Nothalten
Tél. : 03 88 92 60 15
Fax : 03 88 92 47 75
E-mail : *patrickmeyer67@free.fr*

Patrick Meyer ne fait pas de bruit mais marque de son empreinte les vins alsaciens. Situé entre Sélestat et Strasbourg, cet esthète produit des vins spirituels. J'adore sa cuvée nature mais aussi son sylvaner.

Nature 2008 8 € (dégusté en 2010).

• De couleur jaune, ce mélange de sylvaner et de pinot-gris donne un vin d'une grande pureté qui est à la fois semi-long et étoffé.

• La rétro-olfaction est complexe (minéralité, épices et anis). Bon rapport qualité/prix et belle curiosité.

Jura

Jean-François Ganneva AB

La combe 39190 Rotalier

Tél. : 03 84 25 02 69

Le renouveau de la région, la star des bistrots parisiens : les rouges sont fins et gouleyants, les blancs sont puissants et charpentés.

J'en veux-vin de table lot 09 9,5°

• De couleur cerise intense, son nez est complexe avec du fruit, de l'acidité volatile et des notes d'écurie.

• Son attaque est ample, son milieu est friand et semi-long. Sa rétro-olfaction est minérale.

• Ce vin glouglou (9°) est à boire à 14 °C.

Maison Pierre Overnoy – Emmanuel Houillon AB AVN

Rue Abbé-Guichard

39600 Pupillin

Tél. : 03 84 66 24 27

Le père des vignerons naturels a donné la main à Emmanuel Houillon. Les vins sont étincelants et très minéraux aussi bien les rouges que les blancs.

Arbois Pupillin 2007 (dégusté en 2010).

• Ce vin pur étincelant est ample avec une multitude de saveurs dont une longue minéralité et des fruits confits.

• Grand chardonnay très spirituel.

Savoie
Domaine Maillet Jacques AB
Venaize-Dessus

73310 Serrières-en-Chautagne

Tél. : 04 79 63 74 56

Fax : 04 79 63 74 56

Les trois cépages rouges savoyards (gamay, pinot-noir, et mondeuse) sont vinifiés ensemble et donnent la cuvée Autrement. L'altesse (cépage savoyard) est sans ajout de soufre et donne un vin étonnant. Jacques Maillet nous donne envie de redécouvrir les vins de Savoie. Aux dernières nouvelles, l'altesse recevra du soufre à la mise en bouteille.

Altesse 08 (dégusté en 2009).
• Nez ouvert confit ample semi-long.

• L'attaque est onctueuse, la finale est droite et étincelante avec une belle rétro-olfaction minérale.

• Ce vin blanc pur aux arômes oxydatifs qui ne plaira pas à tout le monde, possède un milieu semi-étoffé et une finale étincelante.

Mondeuse 2010
• Cette vigne de 110 ans donne un vin étincelant et racé en rétro-olfaction minérale longue.

• Ce magnifique rouge, aérien et spirituel, est oujours en cours d'élevage. À suivre donc.

Domaine du Perron AVN AB

François Grinand
Rue du Village
01150 Villebois
Tél. : 04 74 36 69 37
E-mail : fr.grinand@orange.fr

Les étapes 09 Vin de France

• De cerise intense, son nez est sauvage, son attaque est ample, fine et semi-longue. La rétro-olfaction est eau-de-vie de prune et de minéralité.
• Ce pinot-noir est à la fois étoffé et délicat avec des tanins fins.

François Grinand possède 3 hectares de vignes en Coteaux dans le Bugey. Ce musicien engendre des vins féminins de bonne structure. La vinification est sans ajout soufre, mais à la mise en bouteilles, le vigneron en ajoute avec parcimonie. Cette bonne découverte vous enchantera.

131

Bourgogne

CÔTES-DE-BEAUNE
Domaine C & D Derain BD
46, rue des Perrières
21190 Saint-Aubin
E-mail : *dc.derain@wanadoo.fr*
Tél. : 03 80 21 35 49 – 03 80 21 35 50
Fax : 03 80 21 94 31
Catherine et Dominique élaborent des saint-aubin, mercurey et bourgogne générique. Lorsque le millésime le veut, les vins sont sans ajout de soufre. Ce sont les bourgognes les plus spirituels que je connaisse.

Saint-Aubin (blanc) 1er cru 2009.
• Ce vin droit est long et semi-gras. La rétro-olfaction est complexe, minérale et longue.
• Ce vin gras sans ajout de soufre est précis.

Saint-Aubin 2008 rouge
• De couleur cerise semi-intense, le nez est cerise eau-de-vie. Ce vin tranchant est semi-étoffé aux tanins fins. La rétro-olfaction est minérale.
• Ce vin agréable est aérien. On peut le boire dès maintenant.

Domaine de Chassorney
Frédéric Cossard
21190 Saint-Romain
Tél. : 03 80 21 65 55
Fax : 03 80 21 67 44
E-mail : *chassorney@orange.fr*

Saint romain 09 sas
• De couleur cerise claire, ce vin droit semi-étoffé, semi-long est gourmand. Les tanins sont fins, et la minéralité présente. On peut le boire dès maintenant.

Pommard 09
• Ce vin est puissant, long avec des tanins fins. La rétro-olfaction est complexe, très longue avec de la minéralité et fruit eau-de-vie.
• Ce vin aux tanins présents peut être bu carafé ou ttendu en cave. Belle bouteille.

Frédéric Cossard, depuis 1996, est devenu vigneron à Saint-Romain. Sa propriété est essentiellement sur ce village et dernièrement, il a récupéré des vignes sur Nuits-Saint-Georges et Savigny-les-Beaune. Depuis 2006, avec Laure, sa compagne, ils ont créé un petit négoce sur des appellations prestigieuses. Les saint-romains sont gourmands, les vins de négoce sont imposants.

133

Philippe Pacalet NC

12, rue de Chaumergy

21200 Beaune

03 80 25 91 00

Philippe.pacalet@wanadoo.fr

Négociant artisanal sur des parcelles cultivées en agriculture biologique certifiée ou non, il propose des noms aussi prestigieux que gevrey-chambertin, puligny-montrachet, et meursault.

AUX ALENTOURS DE MÂCON

Gilles Earl et Catherine Vergé NC AVN

Place Tertre

71260 Viré

Tél. : 09 61 00 89 16

Catherine et Gilles, depuis une décennie, produisent des vins blancs sans ajout de soufre. Leurs mâcons sont souvent en vin de table et possèdent une longue rétro-olfaction saline. Ce domaine est l'un des tout grands piliers de la vinification sans ajout de soufre.

Vieilles vignes vin de table 05 (dégusté en 2010).

• Son nez est d'amande et discret. L'attaque est onctueuse, le milieu est concentré et long. La minéralité vous enrobe la bouche lors de la rétro-olfaction.

• Ce vin est ample, long avec une finale ronde.

Clos des Vignes du Maynes BD
Alain et Julien
Rue des Moines – Sagy-le-Haut
71260 Cruzille
Tél. : 03 85 33 20 15
E-mail : *info@vignes-du-maynes.com*

La Cuvée 910
• De couleur cerise légère, ce vin de comptoir, mélange de tous les cépages, est fluide et aérien aux tanins fins. À boire dès maintenant.

Mâcon Manganite 09
• Au nez de poivre, ce gamay étoffé est long avec une rétro-olfaction minérale longue. Ce vin peut se garder dix ans.

135

Le plus vieux domaine en bio est bourguignon près de Mâcon. Depuis 2000, Julien devenu œnologue aide son père. De 2000 à 2003, les vins blancs étaient sans ajout de soufre. Depuis le millésime 2004, le soufre est ajouté à la mise en bouteille pour les vins blancs. Dans les grandes années, Manganite naît (ce gamay est puissant et long avec une grande minéralité). Les vins rouges vinifiés en macération carbonique me plaisent beaucoup.

Domaine Combier Arnaud AB

Rue de l'Ancien-Presbytère
71960 Prissé
Tél. : 03 85 37 89 45
Fax : 03 85 37 89 45

Saint-véran-la-barnaudiere 07

• Son attaque est onctueuse, le milieu est ample et long en bouche. Sa rétro-olfaction minérale possède de l'acidité volatile. Ce vin mis en bouteille au mois de mars 2010 peut vous surprendre.

• Ce jeune vigneron élabore des saint-vérans de différents terroirs. Sa vinification va du très bon classique au très spirituel. Attention, blanc très vivant.

AUTRES CIEUX DE BOURGOGNE

Guy Bussière BD AVN

9, Grande Rue
21250 Bonnencontre
Tél. : 03 80 36 36 62
E-mail : *guy.bussiere@wanadoo.fr*

En Bourgogne, ce vigneron propose des vins de pays du Val-de-Saône. Je trouve qu'il a progressé depuis 2002, l'année où je l'ai connu. Une cuvée 2009 de pinot-noir fut sans ajout de soufre : complexe, gouleyant et spirituel.

Chardon blanc 09 Vin de France

• Couleur jaune, l'attaque est onctueuse, le milieu est fluide, semi-long et semi-étoffé. La rétro-olfaction minérale est longue. On sent un peu d'acidité volatile en fin de bouche.

• Ce vin devient ample avec l'ouverture. Il est long et très digeste. Très grand vin spirituel.

Les dix commandements de Guy Bussière (extrait de son site) :

1. Tu respecteras ton terroir. Travail du sol : oui ; désherbants : non.

2. Tu ne tueras pas la faune : tous les insectes, vers de terre... ont leur utilité. Insecticides : non.

3. Tu faciliteras le développement de la vie microbienne du sol : pas de tassement par de lourds tracteurs. Travail du sol superficiel uniquement.

4. Tu garderas une flore importante et variée garante d'un bon équilibre biologique.

5. Tu adapteras l'entretien du sol au rythme des saisons : travail du sol de printemps à mi-juillet.

6. Tu renonceras au travail du sol à la mi-juillet pour laisser place à l'enherbement naturel : le meilleur remède contre le botrytis selon l'expérience d'anciens vignerons... et confirmé par moi-même.

7. Tu réduiras la vigueur de la vigne par tous les moyens à ta disposition : choix du porte-greffe, mode de taille (cordons plutôt que baguettes) ; absence ou apport très réduit en compost.

137

8. Tu banniras les « médecines de choc » : produits chimiques systémiques, insecticides...

9. Tu aideras la vigne à lutter contre les maladies et parasites en stimulant son autodéfense et tu renonceras à l'illusion de les éradiquer.

10. Tu donneras la préférence aux « médecines douces » : la biodynamie tu honoreras.

BEAUJOLAIS
Christian Ducroux BD AVN
Lieu-dit Thulon
69430 Lantignié
Tél. : 09 66 13 05 61

Peu connu à Paris (vous pouvez en acheter à la Crémerie 75006 Paris) où les professionnels préfèrent les vins glouglou. Cet ami de Claude Courtois vinifie à la semi-carbonique sans ajout de soufre. Mon plus grand souvenir : ses beaujolais nouveaux dégustés en avril à l'aveugle. Les Régnié-Durette sont tout en élégance et puissance. Vous pouvez trouver une dégustation dans la rubrique La macération carbonique pour ou contre (p. 123).

Phillipe Jambon AB
Vers l'Église
71570 Chasselas
Tél. : 03 85 35 17 57
« Jambon blanc, jambon nouveau », cet ancien sommelier à l'humour ravageur écrit les pages des vins

naturels en toute humilité. Ses vins de France sont très spirituels et tous sans ajout de soufre en théorie.

Rhône

Jean Delobre BD

Charbieux

07340 BOGY

Tél. : 06 82 24 76 02

Fax : 04 75 34 86 37

E-mail : *jean.delobRe@wanadoo.fr*

Vin de pays 2009 Ardèche

• Couleur bigarreau, son nez est d'eau-de-vie. Ce vin fluide à la finale rustique possède une rétro-olfaction fraîche. Cette syrah nature est pour amateur de vin généreux.

Saint-joseph 2009

• De couleur encre, son nez est d'eau-de-vie. Son vin est généreux à la fois en milieu et en finale. Ce vin spirituel possède une belle digestibilité et une belle fraîcheur. Belle garde.

Ce vigneron offre deux cuvées sans ajout de soufre. Ces vins spirituels seront, selon le millésime, fins ou puissants. Je me rappelle avoir dégusté un saint-joseph rouge 2002 servi dans un verre noir à 15 °C, ouverture une journée, j'ai dit vin blanc... Ce vigneron s'affirme d'année en année.

Stephan Jean-Michel
RN 86
69420 Tupin-Semons
Tél. : 04 74 56 62 66
Fax : 04 74 56 62 66

Jean-Michel Stephan est un extra-terrestre dans son appellation (bio non certifié, et vinification sans ajout de soufre). Il obtient des vins à la hauteur de la réputation de cette appellation. N'hésitez pas à les carafer quelques heures à l'avance. Et vous serez surpris de leur vie.

Côte-rôtie 09 Jean-Michel Stephan
- De couleur encre, son nez est complexe d'épices.
- Son attaque est onctueuse, le milieu est étoffé et long.
- Ses tanins sont fins avec une rétro-olfaction longue de zan. La minéralité est discrète. Ce vin fin est à boire dès maintenant, carafé.

Côte-rôtie coteaux-de-tupin 2007
- De couleur encre, son nez est racé mais fermé.
- Son milieu est ample mais tout en délicatesse, comme ses tanins.
- Ce vin racé peut être bu dès maintenant.

Coteaux-de-bassenon (syrah Serine Viognier 07)
- De cerise foncée, son nez est complexe avec des notes d'écurie.
- Son attaque est ample, son milieu est étoffé, long et fin.
- Ce vin masculin voire imposant est de garde. Il possède encore des tanins présents. Vous pouvez encore le garder.

MAS DE LA BÉGUDE AVN AB
Gilles Azzoni
Quartier Les Salelles
07710 Saint-Maurice-d'Ibie
Tél. : 04 75 94 70 10
E-mail : *gilles.azzoni@gmail.com*
Gilles produit l'un des plus spirituels vins blancs. J'ai dû, avec l'aide de mon amie Corinne, vider la cave du comptoir. Ces vins de France très vivants doivent être carafés. C'est pur, étincelant et pas cher...

Languedoc

Domaine Ribiéra NC
Régis Pichon
22, avenue de la Gare
34800 ASPIRAN
Tél. 04 67 44 16 83
Fax. 04.67.44 16 83
E-mail : *ribiera@wanadoo.fr*
Ce jeune couple a acheté les vignes en 2005. Régis Pichon, ancien sommelier de Hédiard et du restaurant « Laurent », a suivi des études vinicoles et a commencé à vinifier en 2006. 2009 fut le grand saut, les vins sont naturels. Le rouge est sans ajout de soufre, et le viticulteur n'ajoute le soufre au vin blanc qu'à la mise en bouteille. À découvrir vite...

DOMAINE DE RAPATEL NC
Gérard Eyraud

30128 Garons

Tél. : 04.66 70 12 40

Fax : 04 66 70 06 96

E-mail : *contact@domaine-de-rapatel.com*

www.domaine-de-rapatel.com

Ce domaine dans les Costières de Nîmes évolue depuis plusieurs années. Ces vins de table (grande signature) sont puissants et purs aussi bien les rouges que les blancs. Ces grandes réussites sont la grande signature blanc 2006 et 2008 des vins qui accompagnent très bien la bouillabaisse. Ne pas oublier la grande signature rouge (syrah et grenache à 35 hl/ha) qui est étoffée mais possède une grande fraîcheur. Vous les trouverez à 13 €, mais n'oubliez pas les autres petits vins intéressants de cépages (exemple : *Les Rébus de Rapatel*).

CLOS FANTINE AB AVN
La famille Andrieu

La liquière

34480 Cabrerolles

Tél. : 04 67 90 20 89

« Il s'agit d'un domaine familial de 22 hectares situé sur les coteaux schisteux de l'appellation Faugères sur la commune de Cabrerolles.

Le cépage dominant est le carignan qui représente 40 % de l'exploitation, le grenache 20 %, le mourvèdre 20 %, la syrah 10 % et le cinsault 10 %.

Aujourd'hui, ce sont les trois enfants – la fratrie Andrieu – qui gèrent la destinée du domaine : Carole, Corinne et Olivier. » Extrait de *www.bacchusbrest.com* Délicatesse, finesse, digestibilité sont les qualificatifs de ce domaine sans ajout de soufre qui sera certainement dans l'avenir un emblème de l'AVN. Bon rapport qualité/prix.

Faugères Clos Fantine 2008
• De couleur encre, son nez est pur et fin. Ce vin fin est semi-long et semi-étoffé avec des tanins fins. Ce vin féminin agréable possède une rétro-olfaction minérale.

Faugères cuvée Courtiol 2008
• De couleur encre, son nez est fin et discret. L'attaque est ample. Son milieu est étoffé aux tanins fins mais présents. Ce vin puissant est à boire dès maintenant sur une côte de bœuf, ou de garde, dans quelques années.

Villa Tempora AB
6, chemin de la Faissine
34120 Pézenas
Tél. : 04 67 35 25 38
Magnifique découverte du printemps 2011, ces vins du Languedoc (Pezenas) sont issus de l'agriculture biologique et vinifiés naturellement (sans ajout de soufre pour le rouge). C'est pur, digeste et spirituel.

Provence

Domaine Milan AB
Henri Milan
Quartier la Galine
13210 Saint-Rémy-de-Provence
Tél. : 04 90 92 12 52 – 04 90 92 33 51
E-mail : contact@dom-milan.com
www.dom.milan.com
Quels changements depuis l'an 2000, Henri n'utilise pas de soufre sur certains vins. Minéraux, longs en bouche, leurs baux-de-provence ou vins-de-France sont très spirituels et très digestes.

Vin de table 07 dégusté en 2010
• De couleur jaune, son nez est de calvados. Ce vin ample, long en bouche possède une rétro-olfaction complexe et longue de xérès, calvados et d'écurie. Ce vin spirituel, gras, provenant d'un terroir de marne est un grand vin. Attention, il peut désorienter certains dégustateurs de style classique.

Bordeaux

Château Le puy
33570 Saint-Cibard
Tél. : 05 57 40 61 82
E-mail : amoreau@chateau-le-puy.com
www.chateau-le-puy.com

Bordeaux côtes-de-franc Cuvée Barthélemy 2007
• De couleur cerise foncée, son nez est fermé par l'auto-protection des levures. L'attaque est ample, longue et concentrée. Sa finale est tannique avec une rétro-olfaction sauvage et minérale. Ce vin d'un grand potentiel de garde est à oublier en cave.

Cuvée Marie-Cécile 2008 vin-de-France
• De couleur orangée, son nez est complexe légèrement oxydatif, son milieu est ample, concentré, long et contient encore un peu de gaz. La rétro-olfaction est complexe : xérès, fruit et minéral. Ce vin puissant et long en bouche est très salin.

Selon les gouttes de Dieu (manga japonais), ce domaine propose le meilleur vin du monde. Ce vin naturel servi à l'aveugle peut défier les grands crus de Médoc. La cuvée Marie, leur vin blanc, est aussi sans ajout de soufre.

Château Meslet BD AVN
Michel Favard
Labrie
33420 Jugazan
Tél. : 05 57 84 76 10

Château-meslet saint-émilion 1998 50 €
(dégusté en 2010).
Bio depuis 1983, en biodynamie depuis 10 ans.

• De couleur rouge tuilée au nez de sous-bois, son attaque est soyeuse, le milieu est ample et long. Les tanins soyeux ne déséquilibrent pas le tout. Ce sans ajout de soufre ne ressemble pas au bordeaux stéréotypé et vous comblera de bonheur par sa finesse et son élégance.

Château Lamery BD AVN
2, route de Gaillard
33490 Saint-Pierre d'Aurillac
Tél. : 05 56 63 31 69
E-mail : *lamery@wanadoo.fr*

Le défi de Lamery vin de table ** 10 €
• La couleur est rouge claire avec des notes orangées.
• Le nez est complexe marc de vin, écurie, sauvage, et menthol.
• L'attaque est légèrement onctueuse.
• Le milieu est tendre fin et semi-éloffé.
• La finale propose des tanins présents donnant du caractère au vin.
• Une rétro-olfaction est semi-longue avec tanins râpeux, minéralité et zan

Ce vin complexe pur et tranchant possède du caractère, un peu rustique mais avec une bonne digestibilité. Ce bordeaux en vin de table, une curiosité, est issu de l'agriculture biodynamique sans chaptalisation, sans levurage et seulement un méchage pour les fûts de chêne. Le nez peut vous choquer.

Après dix heures d'ouverture, le nez écurie laisse place à une eau-de-vie de framboise, le milieu est un peu plus rustique tout en étant charmeur. L'acidité légèrement présente en fin de bouche ne me gêne pas. C'est une très belle curiosité, différente des bordeaux parkérisés.

Il faudra compter avec Château Lamery dans quelques années. Ce bordeaux féminin, digeste, plein de caractère vous réconciliera avec cette appellation.

Poutays David BD

Clos de Mounissens
33490 Saint-Pierre-d'Aurillac
Tél. : 05 56 63 29 64
Fax : 05 56 13 07 15
E-mail : *d.poutays@wanadoo.fr*
www.mounissens.com

Aime et fais ce que tu veux-vin de table lot 2006 (dégusté en 2010)

• Couleur trouble avec de l'orange nuancé, nez complexe de sous-bois ; ce vin droit, fin, aux arômes multiples est semi-étoffé.

• La rétro-olfaction est immense avec beaucoup de minéralité.

• Ce vin spirituel friand est très digeste.

• Grand rapport qualité/prix.

Le meilleur rapport qualité/prix des sans ajout de soufre de bordeaux, c'est aérien, gourmand et digestif. Que du bonheur, tout simplement.

Loire

MUSCADET
Domaine de la Paonnerie Jacques Carroget
44150 Anet
Tél. : 02 40 96 23 43
E-mail : *carojvin@aol.com*

Je vous conseille de faire deux expériences. Déguster ses vins avec soufre et sans ajout de soufre.

Dégusté en 2010 à 15 °C
Gamay-d'ancenis 09 (étiquette jaune) le soufre est mis à la mise en bouteille.
• Couleur cerise claire, 1er nez ouvert de mangue, 2e nez complexe de mangue, zan et minéral.
• L'attaque est onctueuse.
• Le milieu semi-long, semi-étoffé, plaisant et friand.
• La finale est tranchante, les tanins sont souples.
• La rétro-olfaction est minérale et semi-longue.
Conclusion : vin glouglou de fruit friand qui possède une belle minéralité.

Gamay-d'ancenis la Paonnerie 09 sans ajout de soufre (étiquette et contre-étiquette blanches)
• Couleur cerise foncée. Le 1er nez est discret, un peu de mangue, zan et minéralité. Le 2e nez est complexe, mélange de zan et de minéralité.
• L'attaque est onctueuse.
• Le milieu est ample, concentré, long et fin avec du gaz carbonique.

• La finale propose des tanins fins.

• La rétro-olfaction : pleine de fruits et minéralité très longue.

Conclusion : protégé par le gaz carbonique ; ce vin fin, élégant possède une belle personnalité et de la puissance. La rétro-olfaction inonde votre bouche d'arômes minéraux et de fruits.

Le vin carafé donne toujours un nez discret mais libère la puissance du vin. La finale minérale domine, le fruit est plus discret. La finale est un peu plus tannique.

La différence entre les deux : le premier est facile à boire, plus de fruit, moins minéral. Le nez du second est plus discret, son milieu est plus puissant surtout carafé. Le second est plus de garde.

149

Dégusté à 12 °C

Muscadet-coteaux-de-la-loire 2009 (le soufre est mis en bouteille) bouteille de muscadet.

• Couleur jaune intense.

• Nez discret. 1er nez anis. 2e nez discret, semi-complexe de fruits, épices et anis.

• L'attaque est onctueuse.

• Le milieu est ample, semi-long.

• La finale est ronde.

• La rétro-olfaction est longue, complexe d'anis et de minéralité (mais discrète). L'anis remporte sur la minéralité.

Conclusion : ce muscadet de caractère rond possède une belle personnalité en la présence de sa rétro-olfaction longue. La minéralité est discrète.

Muscadet 09 sans ajout de soufre bouteille bourguignonne
• Couleur jaune intense.
• 1er nez discret et épicé. 2e nez complexe mais difficile à définir.
• L'attaque est ample et onctueuse.
• Le milieu est ample, concentré et très long. Les arômes sont d'épices.
• La finale est ronde.
• La rétro-olfaction est longue, sensation de fraîcheur, minéralité incisive voire saline. L'arôme anis est présent.
Conclusion : ce vin spirituel est puissant, de garde, à boire carafé.

La différence entre les deux : plus de longueur et de minéralité (salinité) dans le second. Le nez du premier est plus ouvert.
Deux jours plus tard, on trouve plus de minéralité dans le premier, et dans le second, la minéralité est accompagnée de fruits (pommes confites), xérès et épices.
Quel changement depuis plusieurs années ! Ce domaine propose des vins d'une grande digestibilité. Il devient une grande référence pour les vins naturels. La moitié des vins de ce domaine est sans ajout de soufre. Les prix sont entre 7 € et 10 €.

ANGERS
Benoît Courault
L'Aunée
49320 Chemelier
Tél. : 02 41 54 09 36
E-mail : *Benoit.courault@wanadoo.fr*

Vin-de-France Les Tabenaux 09
• De couleur cerise, son nez d'écurie et de fruits est complexe.
• Ce vin délicat, droit est fluide, avec des tanins légers présents qui apportent une bonne amertume. Il pourra vieillir ou être bu carafé.

Vin-de-France Les Rouliers 09
• De couleur encre, ce vin masculin est droit, aux arômes de cuir et de minéralité pendant la rétro-olfaction. Ce vin de garde issu de cépage cabernet-cot encore recroquevillé est très salin.
Il est l'un des jeunes qui montent en Anjou. Ce jeune vigneron travaille sur 6 hectares de vignes avec un cheval.

Jean-François Chéné AB
La Coulée d'Ambrosia
7, rue des Carrois
49750 Beaulieu-sur-Layon
Tél. et fax : 02 41 80 40 83
E-mail : *couleeambrosia@hotmail.fr*

Il y a trois ans, lors de la dégustation de « vins bio » organisée lors du Salon du Val-de-Loire, je découvris ce jeune vigneron propriétaire de 4 hectares en Anjou. Je m'en souviens comme si c'était hier : deux de mes collègues étrangers blackboulaient ce vin spirituel « au nez étrange ». Tels étaient leurs mots et leur incompréhension face à des vins naturels, libres et vivants. Ce domaine est l'un des futurs grands domaines des vins naturels.

Eurêka 08 vin-de-France
• De couleur jaune, son nez est fumé.
• Ce vin pétillant, droit, aux bulles fines possède une rétro-olfaction minérale.
• Ce pétillant sans ajout de soufre est agréable et spirituel.

Panier de fruits 08 vin-de-France
• De couleur jaune, son nez est complexe de fruits confits intenses.
• Son attaque est onctueuse, le milieu est ample et concentré.
• Ce vin puissant est très spirituel. Il possède une rétro-olfaction longue, minérale et saline

Olivier Cousin

7, rue du Chanoine-Colonel-Panagot
49540 Martigné-Briand
Tél. : 02 41 59 49 09

Gamay 2010 vin-de-France

• De couleur cerise foncée, ce vin étoffé et long pour un gamay possède des tanins fins et une rétro-olfaction complexe aux arômes d'eau-de-vie et de minéralité.
• Ce grand gamay vous réconciliera avec ce cépage.

Cabernet-franc-vieilles-vignes 09 vin de table

• De couleur encre, son nez d'écurie et de fruits est complexe.
• Ce vin ample, long est concentré.
• Sa rétro-olfaction est minérale.
• Ce vin aux tanins fins qui possède une belle fraîcheur peut se garder quelques années.

Olivier Cousin fait partie des piliers des vignerons naturels à Angers. En biodynamie et sans ajout de soufre, c'est aussi un passeur de connaissances pour les jeunes vignerons. Il souhaite que son domaine devienne une ferme-école pour que les jeunes vignerons puissent apprendre à vivre en autarcie. (*Source : Vignerons nature de la Loire de Laetitia Laure, éditions Lou du lac.*)

153

Didier Chaffardon AB
49320 Versillé
Tél. : 02 41 54 41 37

Incrédule 2009 vin-de-France
• De couleur cerise intense, son nez complexe est fumé et d'écurie. Son attaque est ample, ce vin droit est semi-long et fluide. Sa rétro-olfaction est très complexe (écurie, fruit salin et sucré).
• Ce vin spirituel très pur, élégant est original grâce une finale complexe sucrée-salée. On peut le garder ou le carafer. Je suis certain que si ce vin est servi à l'aveugle dans un verre noir, beaucoup (moi y compris) le confondraient avec un vin blanc.

Ancien ouvrier d'un domaine reconnu en Anjou, Didier a repris une partie de ce domaine suite à sa vente. Les vins (lorsque l'année le permet) sont sans ajout de soufre (surtout pour le rouge). Les vins blancs sont gras, les vins rouges qui peuvent parfois gazer sont élégants et fins après un passage en carafe.

Domaine des Griottes, Patrick Desplat et Sébastien Dervieux AB
Le Layon
49750 Saint-Lambert-du-Lattay
Tél. : 02 41 78 46 11
Fax : 02 41 80 25 11
Patrick Desplat est l'un des meilleurs vinificateurs sans ajout de soufre. Les vins sont très spirituels et

parfois, ils peuvent être mal compris par les néophytes. Ce domaine dépasse les lois de l'œnologie moderne et propose des vins moelleux sans ajout de soufre (élevage de cinq années). Je vous conseille Moussaillon, dans un premier temps . Ce vin effervescent aux bulles fines est droit, net et agréable.

Gildas Béclair

4, rue Dieuzie-Martreau
49190 Rochefort-sur-Loire
Tél. : 02 41 78 73 25
Fax : 02 41 78 54 23

La crise en thème - Vin de table 08 11 € (dégusté en 2010)

• De couleur jaune intense, son nez est discret de fruits secs. Son milieu est ample, concentré et long. Le retour de bouche est très minéral aux arômes de fruits secs.

• Ce vin spirituel peut ne pas plaire à tout le monde.

Gilles Béclair est l'un des piliers des vins sans ajout de soufre dans la Loire. Peu connu, peu présent sur Paris, j'ai eu la chance de le rencontrer grâce à Patrick Desplat. Ce domaine très spirituel est uniquement pour amateurs de vins naturels.
12 hectares bio depuis dix ans et les vins sont sans ajout de soufre.

155

Jean-François Vaillant BD
Domaine les Grandes Vignes
La Roche Aubry
49380 Thouarce
Tél. : 02 41 54 05 06
Fax : 02 41 54 08 21
E-mail : *jf@domainelesgrandesvignes.com*
www.domainelesgrandesvignes.com
Tous les vins sont en levures indigènes depuis très
longtemps, pas de soufre rajouté ni collage, ni filtra-
tion pour les rouges. Un minimum de sulfite est ajouté
à la préparation des mises pour les blancs et les
rosés.

Anjou-village 2009 Au fil des vignes ouverture 2 jours
• De couleur cerise intense, le nez discret est floral
et pur.
• Son milieu est fin, étoffé et semi-long.
• Les tanins sont fins et sa rétro-olfaction est miné-
rale avec des arômes d'eau-de-vie de vin.
• Ce vin puissant est gourmand. Ce vin acheté 6 € en
supermarché est une bonne découverte.

BOURGES
Vincent Gaudry AB
Petit Chambre
18300 Sury-en-Vaux
Tél. : 02 48 79 49 25
Fax : 02 48 79 49 25

Sancerre Cuvée Vincent 2010

• De couleur or, son nez libère les senteurs complexes d'ananas, de gras et de minéralité.

• Son attaque est onctueuse, ample et concentrée. La rétro-olfaction est longue avec beaucoup de minéralité.

• Ce vin imposant par sa texture et sa minéralité est en cours d'élevage. Sans intervention périlleuse ni intempestive de la part du vigneron, cette chrysalide engendrera un grand papillon naturel. À suivre donc...

Sancerre Cuvée Vincentgetorix 2009

• De couleur cerise semi-intense, son nez est épicé.

• Son milieu est fin et semi-long avec une rétro-olfaction minérale semi-longue et une finale légèrement rustique.

• Ce vin de repas à la finale légèrement amère est élégant. On peut le garder 2 à 3 ans.

Quel changement en quelques années ! Vincent a passé le cap du bio depuis 2002 et le pas des vins sans ajout de soufre en proposant deux cuvées spirituelles. Pour les autres vins, ce sont de très bons classiques.

Alexandre Bain AB AVN

58150 Tracy-sur-Loire
Tél. : 06 77 11 13 05

Pouilly-fumè 2008 (dégusté en 2010)

• De couleur jaune intense, son nez est discret d'angéliques, son milieu est gras, ample et long en bouche.

157

• Ce vin suave aux saveurs complexes possède une belle puissance et un retour minéral long.

• Ce vin spirituel différent de son appellation est magnifique.

L'un des futurs grands vignerons de Loire élaborant des sauvignons purs et puissants.

Sébastien Riffault AB AVN

Route de Sancerre
18300 Sury-en-Vaux
Tél. : 06 09 63 48 35
Fax : 02 48 79 39 01

Sancerre Akmenime (fait de pierre en Lituanien) 08

• De couleur or ; le nez est ouvert d'ananas confit.

• L'attaque est onctueuse, le milieu est ample, concentré et long. La rétro-olfaction est longue et minérale.

• Ce vin spirituel, élaboré à base de vignes situées sur du calcaire, est plein de fruits et de minéralité. Ce vin puissant peut être bu carafé ou attendu.

Sancerre Skeveldra 08 (silex en lituanien)

• De couleur or, le nez est ouvert d'ananas confit.

• L'attaque est onctueuse, le milieu est ample, concentré et long. La rétro-olfaction est immense et très minérale. Ce vin puissant est plus minéral que le précédent.

Marié à une Lituanienne, Sébastien élabore des vins riches ayant 18 mois d'élevage. Ses vins rouges, lorsqu'ils sont en phase, sont gouleyants et minéraux. Ce vigneron m'a fait redécouvrir les sancerres.

Autour de Blois

Les maisons brûlées
Béatrice et Michel Augé
5, impasse de la Vallée-du-Loing
41110 Pouillé
Tél. : 02 54 71 51 57

Erebe 2009
• De couleur encre, son nez racé est complexe. Le milieu est ample, concentré et semi-long. Les tanins sont fins, la rétro-olfaction est complexe de cuir, fruit et minéralité.
• Ce vin de garde aux tanins fins est encore recroquevillé et proposera, dans cinq ans, une magnifique bouteille.

Ancien président de la cave de Oisly, Michel Augé a quitté la cave coopérative depuis 2003.
Il cultive en biodynamie 4,5 hectares de vignes entre Montrichard et Saint-Aignan dans le Loir-et-Cher. Les cépages sont les cot, gamay, cabernet, chardonnay et sauvignon. Les rendements sont faibles, les vins ne sont ni chaptalisés, ni levurés et sans ajout de soufre (pour les vins rouges).

Les élevages sont longs (24 à 36 mois) dans une cave en tuffeau. Que dire de la pureté, de la complexité de leurs vins : de la race, de l'élégance ? Les vins ne possèdent aucune oxydation, en revanche, le blanc, comme le 2004, peut devenir marron au bout d'une journée d'ouverture. Actuellement, ils peuvent ajouter un peu de soufre sur quelques cuvées de vins blancs à la mise en bouteille. Les finales sont étincelantes, et minérales. Je vous conseille aussi les pétillants naturels.

Depuis deux ans, Praline une jument de 7 ans laboure leurs vignes. Pour les sceptiques des vins sans ajout de soufre, j'ai goûté des vins rouges et blancs âgés de 7 à 8 ans qui tenaient la route.

Claude Courtois

Les cailloux du Paradis
41230 Soings-en-Sologne
Tél. : 02 54 98 71 97

Anarchiste au grand cœur, il fut, à mon avis, l'un des détonateurs des vins naturels à la fin des années 1990. Quartz, plume d'ange, racine : ses noms de vins poétiques enivrent de bonheur les amateurs de vins naturels. Depuis quelques années, les fils de Claude reprennent le flambeau petit à petit avec bonheur et tout en finesse. La plupart de ses vins sont sans ajout de soufre.

Pierre-Olivier Bonhomme / Thierry Puzelat

14, rue des Masnières
41120 Les Montils
Tél. : 02 54 44 05 06
E-mail : *thierry.puzelat* @ wanadoo.fr

Fer de lance du renouveau du cheverny il y a une quinzaine d'années, les Puzelat en association avec Pierre-Olivier Bonhomme possèdent aussi un peu de négoce bio. J'aime beaucoup leur pinot-gris et autres vins blancs spirituels.

Touraine Kot 08 in cot we trust

• De couleur encre, le nez est complexe d'épices, de fruits confits (voire crème de cassis) et d'écurie.
• Son attaque est ample, le milieu est concentré, long avec des tanins légèrement accrocheurs. La rétro-olfaction est longue et minérale.
• Ce vin puissant, mûr, aux arômes d'écurie possède des tanins fins. Ce vin complexe doit être bu carafé ou gardé.

Joël Courtault AB AVN

28, rue de Bel-air
41110 Thésée
Tél. : 02 54 71 50 06

De magnifiques rouges, mais ce sont les pétillants comme sodalité qui m'interpellent. L'effervescence est droite, la minéralité est longue voire saline. Bref un futur grand vigneron naturel voit le jour.

Bruno Allion BD

Domaine Pontcher
2, allée des Marronniers
41140 Thésée
Tél. : 02 54 75 21 63
Plus jardinier biodynamique donnant ses raisins à la coopérative que vigneron, ce viticulteur a sauté le pas et vinifie sans ajout de soufre. Il a eu raison de franchir le Rubicon, le vin à base de cot est l'un des plus beaux que j'aie dégustés : net, précis.

Touraine Bruno n'cot 2008 7 € (dégusté en 2010)

• De couleur encre, ce vin semi-long et délicat possède des tanins fins légèrement accrocheurs.
• La rétro-olfaction minérale est pure de fruits rouges et de miel.
• Ce vin sans ajout de soufre aérien est à boire maintenant en le carafant.

Domaine des Clos des Roches Blanches

Catherine Roussel et Didier Barrouillet
19, rue de Montrichard
41110 Mareuil-sur-Cher
Tél. : 02 54 75 17 03
E-mail : *closrocheblanche@wanadoo.fr*

Touraine 2010 Pif (en cours d'élevage)

• Ce vin encore jeune à base de cépage cabernet et cot est fluide avec une belle minéralité. Les tanins sont encore marqués. Il devrait rester sans ajout de soufre, l'avenir nous le dira.

Catherine et Didier proposent un seul vin sans ajout de soufre, souvent à la fois gourmand et généreux. Ce domaine près de Saint-Aignan-sur-Cher élabore de bons rapports qualité/prix sur des cépages tels que chardonnay, sauvignon, gamay et cabernet-franc.

Christophe Foucher

La lunotte
36, rue de Villequemoy
41110 Couffy
Tél. : 02 54 75 01 41
E-mail : *christophe.foucher609@orange.fr*

Vin de table P'tites Vignes 6 € (dégusté en 2010)

• Ce sauvignon au nez d'écurie est droit, net et tranchant. Ce sans ajout de soufre glouglou propose une finale aux saveurs complexes (amer et épicé) et une rétro-olfaction longue.
• Très grand rapport qualité/prix.

163

COTEAUX DU LOIR

Domaine Le Briseau
Christian Chaussard
Lieu-dit Les Nérons
72340 Marçon
Tél. : 02 43 44 58 53
E-mail : *nathalie.gaubicher-arobase-wanadoo.fr*

Patapon (gamay-pinot-d'aunis)
Coteaux-du-loir sas 09

• De couleur encre, son nez est fermé et complexe. Ce vin au milieu gourmand est semi-étoffé. La rétro-olfaction est de zan et de minéralité.

• C'est un vin glouglou, la finale légèrement rustique possédant une bonne fraîcheur grâce à la rétro-ol-faction fraîche et minérale.

• L'idéal serait de le carafer ou de le boire à partir de novembre 2011.

Cote d'alerte 09 coteaux-du-loir

• De couleur encre, ce vin semi-étoffé est plus long et plus minéral que le précédent.

• Ce vin spirituel aux tanins présents mais agréables doit être oublié en cave ou bu avec une aération en carafe.

Christian Chaussard a repris il y a quelques années des vignes au nord de Tours dans les Coteaux-du-Loir. Président de l'AVN, il élabore des vins sans ajout de soufre qui possèdent un milieu gourmand, et une fi-nale de caractère. Il élabore par ailleurs de très bons pétillants.

Vous trouverez ci-dessous les deux cuvées 2009 sans ajout de soufre, le reste n'a vu les sulfites qu'à la mise en bouteille.

Par ailleurs, avec son épouse Nathalie, ils ont fondé une société de négoce : Nana et compagnie.

Les Vignes de l'Ange vin

Jean-Pierre Robinot
Le Présidial
72340 Chahaignes
Tél. : 02 43 44 92 20
E-mail : *lesvignesdelangevin@orange.fr*

Cuvée bistrologie 09 vin-de-France (24 mois de barrique, mis en bouteille mars)

• De couleur or foncé, son nez est complexe de coing, de xérès et de minéralité.

• L'attaque est onctueuse, le milieu ample et long possède encore un peu de gaz. La rétro-olfaction est longue de sucré salé.

• Ce vin imposant de saveurs complexes et de puissance peut se conserver ou être bu carafé sur du homard ou une viande blanche.

Cuvée Camille Robinot 05 vin-de-France

• De couleur rouge brique foncée, son nez est complexe aux arômes de poivre et de fruits rouges. Il est concentré, long et possède une finale minérale.

• Ce vin élevé pendant 36 mois peut accompagner un gibier ou une pièce de bœuf. Je vous invite à ouvrir ce vin spirituel au moins une heure, en carafe, avant de le servir.

Jean-Pierre Robinot, ancien patron de bar de vins naturels, a repris des vignes au Nord de Tours (coteaux-du-loir) au début des années 2000. Spiritualité, puissance, minéralité qualifient ces vins de France. J'ai une préférence pour ses magnifiques pinots-d'aunis.

La Grapperie
Renaud Guettier
La Soudaierie
37370 Beuil-en-Touraine
Tél. : 02 47 24 48 06
E-mail : *renaudguettier@lagrapperie.com*

La buelloise 2010 – vin de France
• De couleur jaune opaque, son nez est de bière. Ce vin gourmand à l'effervescence délicate possède une rétro-olfaction fraîche de poire et de minéralité.
• Ce vin pétillant est très rafraîchissant.

Adonis 2009 – vin de France
• De couleur cerise intense, son nez est discret de poivre. Ce vin ample et long est concentré. Sa finale est présente (tanins) mais ne déséquilibre pas le vin.
• Ce vin élégant est de garde.

Entouré de culture céréalière, ce domaine bio possède 4,5 hectares de vignerons dispatchés sur 17 parcelles de vignes massalles. Élodie et Renaud proposent des vins sans ajout de soufre nets, précis. Leurs élevages sont longs, et donnent au vin pureté, gaz et minéra-lité. L'appellation vin de table est usitée depuis quelques années au lieu de coteaux-du-loir. Leur prix varie entre 12, 15 et 20 € selon les cuvées. (Extrait de *www.vinpur.com*)

REMARQUE : tous les premiers week-ends de décembre se réunit au Haras de Blois une association, Les vins du coin. Elle réunit vignerons de Cheverny, de Thésée et des Coteaux de Loir. C'est l'une des plus belles dégustations que j'aie effectuée. À ne pas manquer : www.lesvinsducoin.com

AUTOUR DE TOURS
François Blanchard
Château du Perron
37120 Lémeré
Tél. : 02-47-95-75-26
Entre Châtellerault et Chinon, François produit sur 3 hectares des vins puissants, purs. Ses vins blancs sont très spirituels, alors que les rouges sont plus abordables en dégustation. En 2008, le mildiou a emporté sa récolte et ses rendements sont faibles. C'est la raison pour laquelle ses vins sont à un certain prix. Mais cela vaut le détour.

Le Grand Cléré sauvignon 2009
• De couleur orange ambrée, le milieu est ample, long, concentré et élégant. La finale est tranchante avec une belle rétro-olfaction aux arômes minéraux et de xérès.
• Ce vin spirituel et droit possède une grande minéralité longue. Je vous conseille de le carafer.

167

Auvergne

Pierre Beauger NC AVN
3, rue des Templiers
63320 Montaigut-le-Blanc
Tél. : 04 73 89 91 35

Vitriol vin-de-France 09
• De couleur cerise semi-intense, son attaque est onctueuse, le milieu est semi-étoffé, semi-long, sa rétro-olfaction est minérale et longue.
• Ce vin semi-étoffé, est gourmand et minéral.

Pinot-gris vendange tardive 2010
• Ce vin onctueux est long et suave. La rétro-olfaction est de fruit.
• Ce moelleux ne tue pas vos papilles avec le sucre, l'équilibre est parfait.

Ce monsieur, humble propriétaire d'un hectare de vignes, est chez les amateurs du vin naturel la référence. Ces vins sont pleins de fruits et précis. Les vins blancs sont aussi sans ajout de soufre.

Nicolas Carmaran NC

Le Bruel

12460 Campouriez

Tél. : 05 65 66 07 83

Nicolas Carmaran Selves 2009 vin-de-pays-de-l'aveyron

• Ce vin de cépage chenin est ample, droit et long. La rétro-olfaction est cristalline de poire et de minéralité. Nicolas ne sait toujours pas s'il ajoutera du soufre à la mise en bouteille.

Mauvais temps 09 vin-de-pays-de-l'aveyron

• De couleur encre, son nez est complexe et levurien.

• Ce vin fin est encore recroquevillé avec des tanins fins et une rétro-olfaction minérale.

• Ce vin possède un beau potentiel.

169

Cet ancien restaurateur parisien élabore de bons vins de comptoir : à découvrir !

Lexique

AB : agriculture biologique

AVN : association des vins naturels
www.lesvinsnaturels.org

Bd : biodynamie

Buccal (style) : les vins de style buccal ne possèdent pas de rétro-olfaction après déglutition du vin, leurs qualités sont présentes uniquement dans la bouche (concentration, tanin, etc.). Souvent issus de levures sélectionnées de laboratoire, ces vins peuvent subir aussi un élevage en fût neuf. (Tiré du *Petit Dico des vins naturels*)

BRET : souvent le dégustateur confond cette mauvaise odeur avec l'autoprotection des levures indigènes. Je vous conseille de carafer le vin. Si l'odeur persiste, ce sont bien des levures Brets. Si, au contraire, lors d'un passage en carafe, l'odeur change et laisse place à d'autres arômes, c'est le résultat de l'autoprotection des levures indigènes. En effet, elles fabriquent leur soufre naturel. (Tiré du *Petit Dico des vins naturels*)

Chaptalisation : ajout de sucre dans le moût afin d'augmenter le degré d'alcool.

Flash-pasteurisation : action d'augmenter en température le moût et le refroidir rapidement. Pour moi, c'est une forme de standardisation.

Lr : lutte raisonnée.

Levures indigènes : « Elles permettent le départ de la fermentation et déterminent, en symbiose avec une agriculture saine, la marque de terroir dans le vin : la minéralité. Le surplus de chimie dans les vignes tue cette vie microbienne. Cela engendre un ajout de levures exogènes appelées aussi sélectionnées de laboratoire. » (Tiré du *Petit Dico des vins naturels*)

Maturité phénolique : pour un raisin mûr, c'est l'équilibre parfait entre la peau (pas trop dure), la chair (le jus doit être sucré) et les pépins (de couleur brun et non vert).

173

NC : agriculture biologique non certifiée.

Pressurage : En vinification en blanc, le pressoir est utilisé pour extraire le moût des raisins non fermentés. En vinification en rouge, il est utilisé pour obtenir le vin de presse à partir du marc de raisin fermenté. (Tiré de *www.vitisphere.com*)

Soufre : anhydride sulfureux, c'est l'antiseptique du vin.

Spirituel (style) : les vins issus de l'agriculture biologique certifiés ou non, vinifiés avec des levures indigènes et contenant peu ou pas de soufre peuvent être puissants, mais les tanins des vins rouges de ce type sont fins et ne déséquilibrent pas le vin, notamment grâce à une attaque de bouche onctueuse, preuve d'une bonne maturité phénolique.

Ces vins ont un retour de bouche imposant pouvant durer plusieurs minutes. Ils n'assèchent pas ; la minéralité et le menthol (caractéristique aromatique) ne les rendent jamais écœurants. Je les appelle « spirituels » ou de style « Pre.li.tte » (Petits Rendements Levures Indigènes et Travail de la Terre). C'est après la déglutition que ces vins reviennent « hanter » vos papilles. Leur complexité aromatique excite les sens. Elle est le fruit du travail des sols, de la vinification sans artifices (pas de levures et peu de soufre). Vous l'aurez compris, j'ai une préférence pour ce type de vin (Tiré du *Petit dico des vins naturels*)

Tanin : Terme générique désignant des substances végétales de la peau du raisin, des pépins et de la rafle. Ce sont des composés phénoliques ou polyphénols présents dans le raisin, le moût et le vin. (Tiré du *Le guide des vins vivants*)

174

Vitajuwel : venu d'Autriche, cette pipette remplie de pierre change le goût de l'eau. Il existe le même procédé pour le vin. Lorsque le vin est naturel, il s'ouvre, et la minéralité est amplifiée. Lorsque les atomes du vin sont englués par la chimie, le vin devient imbuvable. Vitajuwel donne la preuve de la présence des produits chimiques dans le vin. En France, vous pouvez le trouver sur *www.sweetesttaboo.fr*

Achevé d'imprimer en août 2011
sur les presses de la Nouvelle Imprimerie Laballery
58500 Clamecy
Dépôt légal : août 2011
N° d'impression : 107161

Imprimé en France

La Nouvelle Imprimerie Laballery est titulaire de la marque Imprim'Vert®